D1109091

Cómo cuidar de tus padres cuando envejecen

Donna Cohen
Carl Eisdorfer

Cómo cuidar de tus padres cuando envejecen

7 pasos para cuidar y atender adecuadamente a las personas mayores

PAIDÓS
Barcelona
Buenos Aires
México

Título original: *Caring for your aging parents. A planning and action guide*
Publicado en inglés por G. P. Putnam's Sons, Nueva York

Traducción de Alicia Gil Miguel

Cubierta de Víctor Viano

1ª edición, 1997

ISBN: 84-493-0474-1
Depósito legal: B-36.675/1997

Impreso en A&M Gràfic, S.L.,
08130 Sta. Perpètua de Mogoda (Barcelona)

Impreso en España - Printed in Spain

A Bertha y Joe, Dorothy y Sam, cuyo legado de amor aún pervive en la familia.

DONNA COHEN

A Jill y a los bondadosos amigos que ayudaron a Marc a completar su existencia.

CARL EISDORFER

Sumario

Agradecimientos

Es muy difícil escribir el capítulo de agradecimientos y por eso se suele dejar para el final. Fueron muchas las personas y circunstancias que ayudaron a escribir este libro, y es imposible mencionarlos a todos. Estamos especialmente agradecidos a los miles de ancianos y familias cuyas identidades se han ocultado, pero cuyas vidas nos han emocionado profundamente. No hay palabras para expresar adecuadamente nuestro agradecimiento. Queremos dar las gracias a Jeremy Tarcher que estaba entusiasmado con la publicación de este libro. Rick Benzel fue el editor que con su energía y sus comentarios ayudó a dar forma al texto. Como resultado, este libro tiene una cualidad especial que refleja la aportación de Rick y también la nuestra.

Nuestras propias familias nos ayudaron con un regalo precioso: tiempo para trabajar juntos. Nuestros amigos y colegas leyeron partes del manuscrito e hicieron sugerencias muy útiles. Dos amigos muy queridos, que murieron demasiado jóvenes, nos inspiraron con sus ideas, su coraje y su propia capacidad para cuidar de otros durante la enfermedad y la muerte: Stuart Golan y Jean Cahn, os echamos de menos.

Tres personas mecanografiaron el manuscrito con mucho mimo: Nan O'Hanlon, Joyce Johnson y Judy Toole. Tanto ellas como Adrienne Jaret se volcaron en el texto, y sus risas y lágrimas dieron forma a la edición. Finalmente, queremos dar las gracias a Judy Perry, que dedicó muchas horas a leer el texto una y otra vez.

Resultó especialmente difícil terminar este libro en el verano de 1992. Marc Adam Eisdorfer murió el 4 de julio, después de padecer sida durante cuatro años. Marc, tu padre, el resto de tu familia y tus amigos te recuerdan cada día. Tu vida y tu muerte nos enseñaron que cuidar es más que amar. Que descanses en paz.

Prólogo

Este libro te ayudará a afrontar el reto de cuidar de tus padres cuando envejecen. Existe una gran variedad de manuales y libros de autoayuda para los hijos que cuidan de sus padres ancianos. Este libro es diferente. Plantea una nueva forma de pensar sobre tu papel en el cuidado de tus padres y no repite lo que se dice en otros libros. Trataremos de ayudarte a afrontar los problemas, a organizar y equilibrar tu vida y a conseguir que el resto de la familia colabore en el cuidado de tus padres.

Cómo cuidar de tus padres cuando envejecen, te ayudará a ser eficaz, explicándote cómo planificar y mejorar las tareas del cuidado para resolver los problemas que se presentan. Te aconsejamos sobre las cuestiones que debes plantearte antes de ayudar a tus padres. Cuando tus padres están débiles, enfermos o incapacitados, tu vida cambia. Independientemente de si les amas, te desagradan o eres indiferente tendrás que hacer frente a nuevas obligaciones. Sean cuales sean tus sentimientos y circunstancias, te enfrentas con un problema importante: cómo hacer lo correcto y compaginar tus obligaciones con todos los demás de forma que encaje bien con el funcionamiento habitual de la familia.

El cuidado de los padres se ha convertido en un aspecto más de la vida familiar. Se calcula que actualmente 10 millones de americanos están comprometidos con los problemas del cuidado, o con situaciones tensas que se derivan del cuidado de los padres ancianos. No es habitual que todos los miembros de la familia estén de acuerdo en lo que hay que hacer. Nueve de cada diez adultos afirman tener conflictos importantes con otros miembros de su familia derivados del cuidado de un pariente anciano.

Las familias cambian y se reorganizan a medida que sus miembros nacen, envejecen y mueren. Sin embargo, como vivimos más y pasamos más tiempo juntos, las relaciones entre padres e hijos, hermanos y hermanas, esposos y esposas, padres y abuelos, y abuelos y nietos crean nuevas obligaciones y compromisos. Como cada vez hay más ancianos que necesitan ayuda, un número creciente de adultos están pagando la factura emocional y económica del cambio de estructura familiar.

Nuestra sociedad aún no ha elaborado estrategias para ayudar a los hijos adultos que son responsables del cuidado de sus padres y que al mismo tiempo deben cuidar de sí mismos y de sus propios hijos. En Estados Unidos los padres son los responsables legales de sus hijos, pero la responsabilidad de los hijos hacia los padres no suele estar regulada. La responsabilidad de los hijos de cuidar de sus padres está basada en imperativos éticos y morales que varían de una familia a otra y entre culturas. Es bien sabido que estas responsabilidades afectan a la moral, rendimiento, salud y absentismo de muchos trabajadores en todo el país. Al no tener preparación ni pautas concretas sobre lo que deben hacer, muchos adultos sienten ira, vergüenza y culpabilidad mientras intentan saber lo que pueden y deberían hacer por sus padres.

Hemos trabajado con ancianos y sus familias durante décadas, y lo hacemos juntos desde 1976. Para escribir este libro hemos utilizado los resultados de nuestros proyectos de investigación y de los proyectos clínicos en la Universidad Duke de Durham (Carolina del Norte), la Universidad de Washington en Seattle, el Albert Einstein College of Medicine y el Montefiore Medical Center de Nueva York, la Universidad de Miami y la Universidad de Illinois en Chicago.

Por tanto, para escribir este libro hemos utilizado una amplia perspectiva del envejecimiento, basada en nuestra investigación y experiencia clínica. En la Universidad Duke, Carl fue pionero en la identificación de las consecuencias que iba a tener el progresivo envejecimiento de nuestra sociedad. Su trabajo sobre los cambios intelectuales en el proceso normal de envejecimiento y en la enfermedad de Alzheimer ayudaron a identificar los problemas que afrontan los ancianos y sus familias a medida que la población geriátrica crece en número y proporción en nuestra sociedad.

Donna se interesó en el área del envejecimiento cuando era alumna de Carl en la Universidad Duke. Ella desarrolló sus propios estudios sobre los aspectos bio-comportamentales de los cambios cognitivos en el envejecimiento y en la enfermedad de Alzheimer en la Universidad del Sur de California y en la Universidad de California en Los Ángeles. Empezamos a colaborar en 1976, cuando Donna se unió al profesorado del Departamento de Psiquiatría y Ciencias de la Conducta de la Universidad de Washington.

Como jefe del departamento de la Universidad de Washington, Carl estableció una serie de programas para los ancianos y sus familias. El Servicio de Atención a las Familias de pacientes no hospitalizados y la unidad del American Lake Veterans Hospital para pacientes afectados por la enfermedad de Alzheimer y otros trastornos similares se han convertido en modelos para todo el país. Trabajando con las familias que asistían a estos programas comenzamos a comprender la presión que supone el cuidado de los ancianos con problemas físicos y mentales. También desarrollamos el ASIST —el Equipo de Apoyo e Información a los Enfermos de Alzheimer— que es uno de los siete grupos que forman la National Alzheimer's Disease Association, actualmente localizada en Chicago.

Desde 1981 hasta 1985 continuamos colaborando en Nueva York. Como jefa del Departamento de Psicogeriatría en el Albert Einstein College of Medicine y el Montefiore Medical Center, Donna no sólo aplicó varios de los programas clínicos utilizados en Seattle, incluyendo el servicio de atención a las familias de pacientes geriátricos, sino que aumentó los componentes de apoyo y tratamiento familiar. Uno de los descubrimientos más importantes de la investigación que llevamos a cabo durante este período fue que la depresión está presente en más de la mitad de las personas que cuidan de parientes que padecen la enfermedad de Alzheimer. Desde entonces numerosas investigaciones han confirmado estos resultados. Ahora es bien sabido que cuidar de los ancianos —no sólo de los que padecen la enfermedad de Alzheimer— causa estrés y puede tener una influencia negativa en la salud física y mental de las personas que les atienden.

Posteriormente continuamos nuestras investigaciones y actividades clínicas, Donna en Chicago y Carl en Miami, y nos centramos en encontrar formas de ayudar a los miembros de la familia a afrontar el cuidado de los ancianos y en ayudar a estos últimos a participar en su propio cuidado. Con una beca del National Institute on Aging y bajo la dirección de Donna implicamos a investigadores de otros seis centros médicos y entrevistamos a personas que cuidaban de sus padres para estudiar los factores que predicen quienes sucumben al estrés del cuidado y quienes permanecen sanos. Esta investigación aumentó nuestro conocimiento de los riesgos asociados al cuidado de los padres, y escribimos este libro para ayudar a las familias a manejar eficazmente los problemas, a reducir su malestar emocional y a mantenerse sanas y productivas.

La principal conclusión a la que llegamos fue que cuidar no es lo mismo que amar. Generalmente pensamos que si amamos a una persona será fácil cuidarla, pero no es así. Cuidar de los padres requiere habilidades específicas: observar, escuchar, planificar, mostrar empatía, reflexionar sobre los problemas, hacer lo correcto y trabajar con otros. No nacemos con estas habilidades, ni tampoco se derivan directamente del amor. Debemos adquirirlas, ya sea en casa, en un hospital o asilo, en la escuela o en el lugar de trabajo. El cuidado toma diferentes formas y las necesidades son distintas dependiendo del tipo de relación: niños y adultos, matrimonios, amigos, y entre niños y ancianos.

¿Cómo deberías cuidar de los ancianos y de otros parientes? No hay una respuesta universal. Lo que hagas dependerá de las necesidades de tus padres, de ti, de tu familia y de tus circunstancias. Por tanto, lo que ofrecemos es un marco para que aprendas a cuidar a tus padres de forma más eficaz. Explicamos formas de observar, escuchar, pensar y actuar cuando los padres necesitan ayuda. En ocasiones describimos los problemas como si fuesen muy simples. Sabemos que la vida familiar nunca es sencilla y que las decisiones que se toman no siempre satisfacen a todos. Simplificamos algunas de nuestras explicaciones para ilustrar los pasos concretos que puedes dar, incluso en las situaciones más dolorosas y exigentes.

Estar preparado para los problemas —tener un plan y saber lo que hay que hacer— no sólo hace que el cuidado sea eficaz, sino que evita que sientas la desesperanza e impotencia que afectan a muchas personas cuando cuidan de sus padres. Experimentar desesperanza, desolación y soportar la presión durante mucho tiempo lleva a algunos miembros de las familias a quitarse la vida y a hacer lo mismo con su ser querido. Aunque no disponemos de datos precisos, recientemente han salido a la luz una serie de casos de suicidios en pareja de ancianos que han alertado a la opinión pública sobre la depresión extrema que con frecuencia acompaña el cuidado de alguien a quien amas.

A lo largo del libro hemos relatado muchas historias para ilustrar distintas formas de resolver los problemas. Estas historias intentan demostrar que hay diferentes maneras de tener éxito y que el éxito es relativo. Puede que lo que hagáis no satisfaga vuestras expectativas, las de tus padres o las de otras personas de vuestro entorno. Si lo que has hecho es lo mejor que puedes hacer en tus circunstancias, este libro puede ayudarte a aprender a aceptar esas limitaciones y a sentirte satisfecho y tranquilo al saber que has hecho todo lo que has podido.

Las historias de este libro no tratan sobre una sola persona o familia. Con el fin de mantener la confidencialidad, proteger y respetar la intimidad de los que han compartido sus vidas con nosotros, hemos sintetizado detalles de muchas familias, incluyendo cartas, conversaciones y párrafos de los diarios. Estas historias no pretenden sugerir que existen respuestas correctas y equivocadas. Lo que funciona en una familia puede no funcionar en otra.

Hacemos sugerencias específicas para afrontar circunstancias complejas y dolorosas, pero cada familia es un tejido de lazos invisibles y lealtades familiares con frecuencia no reconocidas y tensiones que llevan al conflicto, indiferencia, enemistad y violencia así como al amor, alegría y compromiso mutuo. Nuestras historias reflejan la complejidad de las crisis familiares desde muchas perspectivas, y al hacer esto, subrayamos que todos los miembros de la familia están afectados por la situación y que cada uno debe afrontar la enfermedad, empeoramiento o muerte de sus padres a su manera.

Esperamos que este libro ayude a abordar la creciente preocupación social por los cuidados de larga duración y la responsabilidad de familias y comunidades respecto a aquellos ancianos que son dependientes y que padecen una enfermedad crónica. La fragmentación de nuestro actual sistema sanitario y la falta de acceso a servicios apropiados y accesibles son un obstáculo para la mayoría de nosotros. Esto es evidente en Estados Unidos, pero también es un problema en muchos otros países. Como la población mundial envejece rápidamente y la gente depende de los demás durante más tiempo, la carga de los servicios humanos y sanitarios no sólo desafiará a los recursos de muchos países sino que minará la fuerza y salud de las familias en todos los ámbitos. Debemos admitir que nuestras acciones afectarán no sólo a nuestra calidad de vida, sino también a la calidad de vida de nuestros hijos y nietos.

Aquellos que ya hayan pasado por la experiencia de cuidar de un anciano enfermo comprenderán mejor algunos de los mensajes de este libro. Generalmente es duro afrontar los cambios que surgen a medida que crecemos, y no es fácil alterar nuestras vidas para adaptarnos a las necesidades de otros, sobre todo cuando su dependencia e inhabilidad han durado muchos años o cuando las relaciones familiares han estado bloqueadas o indiferentes por algún tiempo. Sin embargo, si somos capaces de manejar el dolor y los dilemas que presenta el aumento de la longevidad, podremos alcanzar el premio extraordinario de ser humanos: aprender y hacernos más sabios a medida que envejecemos.

Una visión de conjunto: siete pasos para cuidar a tus padres de forma eficaz

Es preciso cambiar la forma en que tradicionalmente se ha enfocado el cuidado de los padres cuando éstos envejecen. Los hijos adultos no son, ni pueden ser, padres de sus propios progenitores. No se trata de adoptar una actitud paternalista con papá y mamá. Aunque tus padres tengan problemas, no son unos niños. Son miembros adultos de la familia que desarrollan unas necesidades específicas a medida que envejecen. Tú eres su hijo adulto, que también se está haciendo mayor, y tienes ciertas necesidades personales así como responsabilidades hacia otras personas de tu entorno aparte de tus padres. Para poder atender a los padres cuando están débiles, enfermos o desvalidos tienes que tomar una serie de decisiones sobre su cuidado. Tienes que decidir si te implicarás, cuánto, por cuánto tiempo, a qué coste y con qué propósito. Para cuidar de tus padres tendrás que realizar acciones que con frecuencia son ambiguas, dolorosas y confusas. Y la confusión es un freno para la acción.

Este libro presenta siete pasos para aprender a ser eficaz cuando los padres envejecen y necesitan cuidados. Estos siete pasos no son parte de una receta para obtener un éxito inmediato, sino componentes de una estrategia global para alcanzar lo que llamamos «eficacia». Ser eficaz significa tener la habilidad para elegir lo mejor para tus padres, manejar tus recursos para hacer lo que hay que hacer, ser flexible y cambiar tu forma de proceder cuando sea necesario. Por lo tanto, mejorar la eficacia es un proceso continuo. Los siete pasos dividen el proceso para que puedas trazar una línea de acción punto por punto.

El primer paso consiste en identificar los problemas que existen y establecer un orden de prioridad entre ellos. Esto parece fácil, pero no lo es. Todos los aspectos de tu vida personal y familiar pueden verse afectados por el cuidado de tus padres, y puedes sentirte abrumado por problemas que parecen insuperables. Puede que ignores o pases por alto los problemas y confíes en las formas más comunes de reducir momentáneamente la angustia. Aprender a admitir las dificultades y establecer tus prioridades te permitirá organizarte para afrontar la tarea que tienes por delante.

El segundo paso consiste en superar los sentimientos de negación. La negación puede tomar muchas formas. Puede implicar minimizar o evitar un problema, o negarse a admitir que se pueden hacer las cosas de distinta manera. Generalmente, cuando un problema es grave o doloroso la gente niega que existe. La negación protege al individuo y le da tiempo para recuperarse de una conmoción o experiencia dolorosa. Sin embargo, en la mayoría de los casos, se debe analizar la negación para poder afrontar y superar los sentimientos legítimos de ira, tristeza, confusión y ansiedad.

Es fundamental superar la negación para poder llegar con éxito al tercer paso: manejar tus emociones. Las emociones son un aspecto maravilloso del ser humano, y todos experimentamos un amplio abanico de emociones, desde placer y felicidad hasta tristeza, temor e ira. La ira, ansiedad y depresión persistentes y no controladas no sólo te harán sentir desgraciado, sino que también interferirán en el cuidado de tus padres.

El cuarto paso consiste en establecer colaboraciones o asociaciones. Tus compañeros pueden ser otros miembros de la familia, profesionales de la salud, empleados de los servicios sociales, abogados, asesores fiscales y otros. Un aspecto importante al establecer asociaciones es conocer tus valores e identificar qué tipo de ayuda necesitas. Localizar a las personas y servicios adecuados significa encontrar fuentes de información y de referencia en las que confiar. Una vez encontrados estos recursos puede ser necesario desarrollar las habilidades necesarias para establecer relaciones de colaboración con aquellos capaces de proporcionar ayuda.

El quinto paso consiste en aprender a equilibrar las necesidades de tus padres y las de los otros miembros de la familia que dependen de ti. Éste es un proceso continuo y según pasa el tiempo puede volverse más difícil. Dado que los padres tienen cada vez más necesidades, hay que redistribuir los recursos de la familia equitativamente, incluyendo el tiempo y el dinero.

El sexto paso consiste en aprender técnicas para cuando te sientes fuera de control. Mientras cuidas de tus padres pueden presentarse crisis, y en medio del torbellino tendrás oportunidades para madurar si eres capaz de aprender a recuperar el control, pidiendo ayuda si es necesario.

El séptimo y último paso es dejarles marchar, continuar con tu vida y aprender a aceptar que has hecho todo lo que has podido. Este proceso es distinto para cada persona y cada familia. Los padres empeoran y mueren, y distanciarse es especialmente difícil y doloroso cuando están sufriendo y la agonía es prolongada. Dejarles marchar es un proceso complicado, y es preciso encontrar formas de distanciarse de la situación, buscando tiempo para uno mismo y para realizar actividades placenteras, y dejando que otros ayuden. Existen unas estrategias específicas que puedes aplicar tras la muerte de tus padres para aceptar la forma en que has actuado y continuar con tu vida.

Cuidar de tus padres supone pensar y actuar de forma interdependiente con los que te rodean. El amor es una fuerza poderosa, pero el amor no siempre garantiza el mejor cuidado. No es necesario amar a tus padres para cuidarles, pero es esencial para hacerlo con eficacia. Puede resultar imposible responder a las constantes necesidades de alguien a quien amas profundamente a medida que la enfermedad y la muerte siguen su curso y evocan sentimientos dolorosos. Por otra parte, tener que responder a las necesidades de alguien a quien no amas conlleva otros problemas. Si pensamos en el cuidado de nuestros padres como la responsabilidad de actuar eficazmente a lo largo del tiempo, éste se convierte en un objetivo realizable. Utilizar los siete pasos para aumentar tu eficacia requiere tiempo y práctica, pero puedes utilizar estas técnicas para tomar y aplicar mejores decisiones con y para tus padres ancianos y otros miembros de la familia.

ALGUNOS PROBLEMAS COMUNES

Durante los últimos quince años nos ha impresionado lo que los hijos adultos son capaces de hacer por sus padres cuando la adversidad amenaza su movilidad, salud, seguridad, comodidad y bienestar general. Hay muchos problemas que resolver, problemas que con frecuencia son complejos y dolorosos. Muchas familias resuelven estos problemas, pero hemos visto a otras tantas fracasar a pesar de sus esfuerzos bien intencionados.

Las familias han descrito una gran variedad de problemas complejos. Quizá los siguientes ejemplos te resulten familiares:

> Mi madre está demasiado enferma para cuidar de papá. Se niega a ingresarle en un asilo de ancianos. No quiere venir a vivir con nosotros y rechaza la ayuda externa.
>
> El barrio donde viven mis padres ha cambiado. Ya no es seguro. En una ocasión asaltaron a papá y el mes pasado robaron en su casa. Sin embargo, tanto papá como mamá se niegan a trasladarse.
>
> Papá ya no puede vivir solo. Desde que sufrió la trombosis ha necesitado mucha ayuda. Mi hermano ha estado pagando la asistencia domiciliaria, pero no quiere seguir haciéndolo. Quiere que le ayude, pero yo no quiero hacerlo. No me gusta mi padre. Ha sido una persona tacaña y dañina toda su vida.
>
> Mamá depende de mí desde que papá murió hace 20 años. Su estado de salud está empeorando y se está volviendo más exigente. Es imposible contentarla, a pesar de que la visito cada día y hago un montón de cosas para ella. De hecho, toda la familia trata de ayudarla. A pesar de todo, ella le dice a cualquiera que la escuche que la familia la ha abandonado.
>
> El cáncer de mamá se está extendiendo rápidamente y el pronóstico no es nada prometedor. Sufrió una crisis pulmonar y la trasladaron a la unidad de cuidados intensivos. Sé que no quiere seguir así. Nos pidió que la dejáramos morir en casa sin intentar salvarla.
>
> Quizás tenga que dejar el trabajo para atender a papá. Tiene la enfermedad de Alzheimer y necesita mucha ayuda, pero necesitamos mi salario para cubrir los gastos familiares.
>
> Mamá ha muerto y todos nos sentimos culpables por haberla ingresado en un asilo. Cada vez que la visitábamos estaba deprimida y lloraba. Deberíamos haber hecho más por ella.

Aunque no hay recetas fáciles para resolver estos problemas, este libro ofrece un método para organizar tu situación y manejar las difíciles tareas que implican. Los siete pasos descritos anteriormente no son mágicos, pero son una forma fácil y útil de clasificar las complejidades de la tarea asistencial en categorías manejables y así poder encontrar solución a los problemas.

Es necesario plantear un abordaje de estas características debido a que las personas vivirán más tiempo en nuestra sociedad, y sabemos poco sobre lo que esto significará. El fenómeno de envejecer junto a las nuevas generaciones es nuevo, y está llevando al establecimiento de nuevas fronteras en las relaciones humanas. El aumento de la longevidad hace que los miembros de la familia dispongan de más tiempo para conocerse y relacionarse, pero también aumentan las posibilidades de que más cosas vayan mal. Además, supone un cambio de los roles habituales, siendo el hijo el que cuida del padre.

Este libro puede considerarse un manual de supervivencia personal. Hace falta tener coraje, cambiar y aprender cosas nuevas sobre uno mismo y su familia para poder tomar decisiones difíciles cuando los padres necesitan ayuda. Puede dar miedo y resultar doloroso, costoso y gravoso, pero también puede ser una experiencia satisfactoria.

Un ejemplo de las oportunidades que ofrece el cuidado de los padres

Presentaremos el potencial de aprendizaje y cambio que supone el cuidado de los padres a través de unos extractos de una serie de cartas que escribió una mujer de cuarenta y cinco años, Sharon, a su hermana menor, Debbie. Durante años Sharon escribió a Debbie varias cartas que, en conjunto, describen la odisea de una mujer haciendo juegos malabares con sus responsabilidades hacia sus padres, su marido, sus hijos y ella misma.

> Querida hermana:
>
> Te escribo porque me encuentro tan desanimada que no me apetece hablar. Papá empeora por momentos y mamá está demasiado débil para cuidarle.

Papá debería ingresar en un asilo, pero mamá se niega. Está demasiado enferma para cuidar de él sin ayuda, y a partir de diciembre no podremos continuar pagando una asistencia de veinticuatro horas al día. No pretendo pedirte dinero, sabemos cuál es tu situación. Tan sólo necesitaba compartir mis sentimientos contigo.

Jack y yo queremos que mamá viva con nosotros y que papá ingrese en una residencia para ancianos que esté cerca de casa. Mamá insiste en que no pueden dejar a sus amigos, y como viven a más de mil millas de distancia, me siento impotente. No puedo permitir que sigan así, pero tampoco puedo permitirme el lujo de volar allí todos los fines de semana.

Quiero hacer lo correcto y lo que sea mejor para ellos... pero no estoy segura de lo que debo hacer.

Sharon escribió estas líneas varias semanas antes de que ella y su marido, Jack, tomaran la decisión de trasladar a sus padres a su propia casa. Sharon confesó que una vez tomada la decisión, ésta pareció obvia: «Me di cuenta de que tenía que hacer lo que mi corazón me dictaba. Podía dejar que la situación empeorase o traer a mis padres más cerca y así poder hacer algo por ellos. Tuve que aprender a decirle a mi madre cómo me sentía y lo que pensaba, y le pedí a ella que hiciese lo mismo. Tuvimos que pasar por un difícil proceso de educación mutua para poder descubrir la forma de cambiar su mundo y el mío. En ocasiones fue difícil y angustioso, porque como madre e hija tuvimos que romper viejas barreras y vernos de forma distinta, como madre e hija que se han hecho mayores».

En muchas de las cartas que escribió Sharon antes de tomar la decisión de llevar a sus padres a su casa, se apreciaba cierta ira contenida, un profundo dolor e impotencia al sentirse atrapada por la situación.

Querida Deb:

Me estoy volviendo loca. Noche tras noche lloro en la cama. Me siento atrapada en una telaraña de gente, lugares y emociones.

Mamá y papá me necesitan, pero Jack me exige que deje de volar allí todos los fines de semana. La semana pasada tuvimos una pelea horrible, y estuve a punto de irme de casa porque él se comportaba de manera irracional.

Estoy enfadada con él, con mis padres... incluso estoy enfadada con el perro porque necesita que lo alimente cada noche. Estoy tratando de hacer todo por todos, pero no funciona. He perdido el equilibrio.

Las emociones están muy implicadas en el proceso de cuidado y a menos que puedas admitir y afrontar tus sentimientos, te resultará difícil manejar tus problemas. Esto ocurre en todos los ámbitos de la vida: mantener un matrimonio, criar a los niños, trabajar de forma productiva, hacer amistades y ayudar a familiares y amigos. Con bastante frecuencia hay sorpresas, y algunas de ellas nos enseñan a vernos a nosotros mismos y a nuestros seres queridos de manera diferente.

Varios meses después de que los padres de Sharon se trasladaran a su casa su padre sufrió otro ataque. En ese momento Sharon decidió dejar su empleo y trabajar por libre escribiendo en casa. Las horas que pasó junto a su padre le dieron la oportunidad de conocerle mejor:

> Querida Deb:
>
> Sé que estoy luchando contra el tiempo. Quiero volver al trabajo, pero a papá le queda poco tiempo. Sólo podré continuar con mi vida si puedo despedirme de él «como es debido». Necesita que le cuide, de la misma forma que él ha cuidado de nosotros.
>
> Papá ha empezado a hablar de la vida en Rusia, de cómo él y sus hermanos y hermanas sobrevivieron a los disturbios, resistiendo hasta que ya no pudieron aguantar más. En estas preciosas horas veo a nuestro padre como una persona distinta. Cuando éramos jóvenes, papá trabajaba muchas horas, y luego crecimos, nos casamos y formamos nuestras propias familias.
>
> Estos últimos meses han sido un regalo para mí, hemos aprendido mucho el uno sobre el otro.

Después de morir su padre, Sharon volvió a su trabajo, y su madre continuó viviendo con ellos. Las cartas de Sharon a Debbie mostraban cómo madre e hija estaban aprendiendo a entenderse. En estas cartas no estaban ausentes la tristeza y la frustración, y describían la inercia paralizante de no hacer nada. También explican cómo una hija adulta y su madre superaron el peso del pasado y los dolorosos ataques de la enfermedad crónica para volver a intimar:

Querida Deb:

Nunca pensé que mamá apreciaba lo que yo estaba haciendo con mi vida. La semana pasada, cuando la llevamos a toda prisa al hospital, me di cuenta por primera vez de que podía morir. Y creo que mamá sintió lo mismo.

He pasado todos los días en el hospital, y mamá y yo hemos empezado a hablar de una forma que no creí que fuese posible. Anoche mamá me dijo lo avergonzada que estaba por estar enferma y no poder hacer las cosas por sí misma. Se incorporó para abrazarme. Dijo que la hacía sentir querida aunque se estuviese muriendo.

Después me dijo que la perdonase por no haber sido una buena madre. Deb, de repente me di cuenta de que la quería. ¡Gracias a Dios que lo he descubierto a tiempo!

Mientras cuidas de tus padres aprenderás cosas nuevas tanto sobre tus padres como sobre ti mismo, aunque vuestra relación haya sido distante u hostil en el pasado. A pesar del esfuerzo que requiere, la recompensa puede ser incalculable. Personas como Sharon nos enseñan a ser optimistas ante un futuro en el que cada vez se vivirá más tiempo. Las familias que tienen éxito al afrontar las necesidades de sus padres cuando envejecen admiten que la única manera de resolver los problemas es intentarlo.

Siete pasos para que el cuidado sea eficaz

Cuidar de los padres cuando envejecen significa hacer frente a los cambios que tendrán lugar durante un largo período de tiempo. Los siete pasos que exponemos a continuación constituyen un sistema para afrontar eficazmente estos cambios sucesivos:

Primer paso:	Identificar los problemas y establecer un orden de prioridad.
Segundo paso:	Superar la negación.
Tercer paso:	Manejar las emociones.
Cuarto paso:	Establecer asociaciones de colaboración.
Quinto paso:	Equilibrar necesidades y recursos.
Sexto paso:	Mantener el control en las crisis.
Séptimo paso:	Distanciarse y seguir adelante.

Estos pasos te ayudarán a anticipar y analizar la envergadura del trabajo que tienes por delante y a hacerlo más manejable. La magnitud de los problemas que implica el cuidado de los padres parece abrumadora porque los problemas continúan mientras los padres viven y se suman a tus propios problemas.

La siguiente historia sobre Cathy Jordan y su familia nos servirá para ejemplificar los siete pasos antes de describirlos detalladamente en los siguientes capítulos. Cathy había estado luchando con los problemas de salud de sus padres y con su preocupación por el hecho de que no se habían cuidado adecuadamente durante más de una década. Describiremos su situación y las complejidades que supone el cuidado de los padres mediante una carta que Cathy escribió a una hermana menor, Ann, que vivía en el extranjero:

> Querida Ann:
>
> Mis recuerdos de nuestra infancia son maravillosos... papá en los campos de maíz, mamá cepillándote el pelo en el porche, Bob y yo persiguiéndonos en el patio, Ginger meciendo a su pollito y la brisa soplando suavemente.
>
> Pero nuestro mundo ya no existe. La granja está hundida, y las malas hierbas han invadido nuestra vieja huerta. Papá y mamá ya no son como antes. Día tras día se quedan en casa cocinando y comiendo como si fuera a acabarse el mundo.
>
> La diabetes de mamá ha estado fuera de control desde la operación de cáncer. Ha perdido vista en ambos ojos y no le preocupa la vida. He intentado convencer a papá de que si mamá no vigila su dieta podría tener otro ataque o caer en coma.
>
> Si esto ocurre tendremos otro problema... encontrar un sitio para Ginger. No puedo creer que haya cumplido 52 años la semana pasada, y aunque parezca increíble, papá continúa creyendo que su retraso es resultado de la diabetes de mamá.
>
> ¿Qué vamos a hacer? No puedo cuidarla. Y sé que tú tampoco. No sé qué hacer, pero sigo esperando que todo funcione.

Cathy estaba cada vez más agobiada por los problemas de su familia: las enfermedades crónicas de sus padres y sus hábitos destructivos, el futuro de su hermana retrasada y las necesidades de sus propios hijos. Como era la hija mayor, y la única que vivía junto a sus padres, había tratado de hacer que sus padres cuidasen mejor de sí mismos en numerosas ocasiones, pero no había tenido éxito. Ann vivía en el extranjero, y Cathy le escribía para desahogarse. El marido de Cathy, John, la apoyaba, pero ella no quería preocuparle demasiado. John Jordan tenía dos empleos para poder mantener a la familia. Ella consideraba que su «trabajo» era encargarse de los problemas familiares.

Cathy trató de resignarse a lo que estaba pasando. Sus padres tenían setenta años, estaban casados desde hacía más de 50 años y eran responsables de sus propias vidas, aunque se estuvieran haciendo daño a sí mismos. Cathy era una persona con una gran voluntad y generalmente conseguía todo lo que se proponía, pero le rompía el corazón ser incapaz de ayudar a sus padres. A medida que pasaba el tiempo no sólo estaba cada vez más enfadada con ellos, sino que se culpaba a sí misma por no poder hacer nada para mejorar la situación.

Finalmente, la madre de Cathy sufrió una trombosis. Para sorpresa de todos sobrevivió, pero con parálisis, problemas para hablar y un deterioro cognitivo considerable. Tras un largo período de hospitalización, los médicos recomendaron a la familia que la ingresaran en un asilo. Cathy tuvo suerte y encontró una residencia que aceptaba pacientes necesitados de atención médica y que además estaba lo suficientemente cerca de casa como para que su padre pudiese visitar a su madre. Cathy escribió a Ann y describió su satisfacción al haber sido capaz de lograr algo:

> Aunque suene extraño, es un alivio tener a mamá en una residencia. Incluso papá ha aceptado el arreglo, aunque amenazó con desheredarme por hacerlo.

La historia de Cathy Jordan ilustra muchas de las circunstancias que comúnmente afrontan los adultos que cuidan de sus padres ancianos. Con frecuencia, este tipo de responsabilidades recaen en la hija mayor o en la nuera. La distancia geográfica influye en la posibilidad de que las familias compartan las responsabilidades. La situación puede prolongarse por un largo período de tiempo. Además, puede ser extremadamente difícil, si no imposible, convencer a los padres para que adopten conductas saludables, sobre todo cuando son muy viejos, están enfermos y han perdido las ganas de vivir. No es raro encontrar retrasados mentales adultos que se han hecho mayores viviendo con sus padres, y su bienestar queda amenazado cuando sus padres ya no son capaces de cuidar de ellos. Por último, puede ser difícil encontrar una residencia, sobre todo cuando tus padres y otros miembros de la familia te culpan por no preocuparte lo suficiente, pero las residencias son opciones legítimas dentro del abanico de servicios de asistencia de larga duración.

Aunque al final Cathy estuvo totalmente dedicada a la atención de sus padres, ella sabía desde hacía años que sus padres se estaban haciendo viejos y, a pesar de una larga historia de problemas, nunca había sentido la responsabilidad de intervenir en la vida de sus padres. Admitir el problema es el primer paso para que el cuidado sea eficaz.

PRIMER PASO: IDENTIFICAR LOS PROBLEMAS Y ESTABLECER UN ORDEN DE PRIORIDAD

El primer paso para ser eficaz es admitir que tienes problemas y saber cuáles son. Esto, como ya hemos comentado, parece fácil, pero casi siempre es una tarea compleja. Simplificando mucho podemos diferenciar dos tipos de problemas: agudos e insidiosos. Un problema es de tipo agudo cuando implica una llamada de emergencia después de un accidente, caída o ataque y cuando existen pocas dudas de que la persona necesita una ayuda inmediata. La búsqueda de la persona más indicada para ofrecer esta ayuda puede ser fuente de conflicto, pero el hecho es que la necesidad repentina de ayuda crea un problema agudo. Las intervenciones son inmediatas, y la pregunta de si intervenir o no deja paso a la de cómo proporcionar la ayuda necesaria de la forma más eficaz.

El envejecimiento es un proceso gradual, y muchas dolencias de la vejez aparecen gradualmente. Los fallos de memoria y las conductas extrañas que con frecuencia acompañan a la enfermedad de Alzheimer y a otros trastornos cerebrales similares aparecen de forma insidiosa. El avance de la artritis, que supone una disminución de la movilidad y dolor en las articulaciones, incapacita progresivamente a cuerpos que una vez fueron activos y vibrantes. La pérdida de poder adquisitivo al vivir con una renta fija en una economía inflacionaria, en una vecindad cambiante, y con una debilidad cada vez mayor tienen una influencia enorme en la vida de un anciano, pero estos cambios pueden ser imperceptibles en el día a día o incluso de mes en mes.

Es difícil ver un problema cuando el comienzo es insidioso. Una de las mayores dificultades reside en que los padres pueden negar la necesidad de ayuda, incluso cuando su situación es grave. Muchos padres no quieren ser una carga e insisten en que pueden funcionar independientemente. Otros creen que sus problemas son normales y que son simplemente el resultado de la «vejez». Quizás una de las mayores dificultades para los hijos adultos es sentir que tienen que hacer algo para ayudar a sus padres mientras éstos niegan que exista un problema.

Lo más probable es que estos y otros problemas se compliquen, como ocurría en el caso de Cathy Jordan, sobre todo a medida que los padres empeoran. Por lo tanto, este primer paso es la base de un proceso continuo de supervisión del cambio a lo largo del tiempo.

Segundo paso: superar la negación

Generalmente, la familia resta importancia a los problemas cuando éstos empiezan a aparecer. Consideran que las quejas, conductas extrañas y exigencias de los padres son «lo que cabe esperar» o son parte del «proceso normal de envejecimiento». No es raro que se niegue que algo va mal, incluso cuando las circunstancias cambian. Por ejemplo, cuando la madre de Cathy empezó a perder vista paulatinamente y a presentar otras complicaciones, Cathy no pensó que era consecuencia de la diabetes. Ella lo atribuyó a la edad de su madre, creyendo que generalmente las personas pierden vista y enferman a medida que envejecen.

Las opinión de Cathy no es infrecuente. A menudo los hijos trabajan duramente para responder a las necesidades de sus padres y al mismo tiempo niegan los problemas. Muchos se niegan a aceptar durante mucho tiempo que sus padres van a tener problemas. Años antes de que su madre sufriera la primera trombosis, Cathy pensaba que la granja parecía abandonada y que sus padres comían y bebían demasiado. Pero sus vidas siempre habían girado en torno a la comida, y siempre habían sido obesos. Además, la granja había pertenecido a la familia desde hacía más de 180 años y era lógico que la casa y el granero estuviesen deteriorados. Cathy no se resignaba a admitir el problema.

No obstante, llega un momento en que no se puede continuar manteniendo el espejismo de que todo es normal. Generalmente, cuando ocurre algo grave se rompen los patrones de afrontamiento que han funcionado en el pasado. Sea cual sea el suceso, saca los sentimientos a la superficie, incluyendo miedo, ira, ansiedad y confusión. La familia está preocupada y hace preguntas para obtener información y descubrir lo que va mal, pero habitualmente no sabe a dónde acudir para pedir ayuda.

En el caso de Cathy el acontecimiento crítico no fue la primera trombosis de su madre. Fue algo que ocurrió entre su madre y su hijo de 10 años, Dan, el día de Acción de Gracias, varias semanas antes del ataque. Cathy y Dan estaban poniendo la mesa cuando sus padres comenzaron a discutir en la cocina. La madre de Cathy irrumpió en el comedor y le gritó a Cathy que nadie la quería y que quería morirse. En ese momento Dan se acercó a su abuela y la cogió por el brazo diciéndole: «¡Yo te quiero, no te dejaré morir!». Su abuela le abofeteo y gritó: «¡Me gustaría que tú también estuvieses muerto!». Fue entonces cuando Cathy se dio cuenta de que a su madre le ocurría algo realmente grave, porque nunca le había puesto la mano encima a nadie. Supo que era el momento de buscar ayuda.

Tercer paso: manejar las emociones

Las emociones juegan un papel muy importante en el cuidado de tus padres, y es importante aprender a reconocer si las emociones están oscureciendo tu buen criterio y quizá también afectando a tu salud. En diversos estudios se ha observado que la mitad de las personas que viven con parientes que necesitan cuidados se deprimen hasta el punto de necesitar ayuda profesional.

Si éste es tu caso, la familia, los amigos o tu sacerdote pueden ayudarte a afrontar tus sentimientos. También puedes obtener ayuda profesional para superar los problemas antes de que empeoren. Es lógico acudir al médico o al dentista antes de que un problema se agrave. Es igual de lógico pedir ayuda antes de que los problemas afectivos lleguen a interferir en tu habilidad para hacer las cosas.

Aunque Cathy Jordan no sufrió una depresión mayor ni otros problemas de salud graves, experimentó bastante angustia, y con frecuencia se culpó a sí misma por no ser lo suficientemente buena. Había días en que surgían conflictos importantes en su casa, como explicaremos más adelante.

CUARTO PASO: ESTABLECER ASOCIACIONES DE COLABORACIÓN

Cuando las cosas van mal y los padres necesitan ayuda, sus problemas físicos tienen que ser evaluados y diagnosticados por un profesional. No obstante, el diagnóstico puede reflejar sólo una parte del problema. La capacidad de funcionamiento de una persona no está determinada únicamente por su enfermedad concreta sino también por problemas en sus hábitos de cuidado, estilo de vida, y disponibilidad de ayuda domiciliaria. Dado que las personas mayores pueden tener muchos problemas, las familias deben empezar a afrontar todo el conjunto de problemas que tienen por delante. Durante este período deben analizar detalladamente los recursos de que disponen, el papel de cada miembro de la familia y las relaciones familiares. Además de conseguir un diagnóstico correcto necesitan saber qué deben hacer para ofrecer un cuidado eficaz. Los recursos que necesitarán tus padres pueden variar desde servicios de compra y lavandería hasta atención médica y compañía.

Después del primer ataque de su madre, Cathy y su familia comprendieron que los problemas que ésta experimentaba habían sido el resultado de la diabetes no controlada, la tensión inestable y los problemas circulatorios en el cerebro. Cuando su madre se recuperó, Cathy observó que sus padres volvían a los hábitos alimentarios de siempre, descuidando la dieta y olvidando ponerse las inyecciones de insulina. Fue entonces cuando Cathy supo lo que le esperaba.

QUINTO PASO: EQUILIBRAR RECURSOS Y NECESIDADES

Esta estrategia te ayudará a aplicar técnicas para equilibrar eficazmente tus obligaciones y responsabilidades. Tu objetivo es atender a tus padres reduciendo al mínimo la desorganización en tu propia vida, en tu trabajo y en los hábitos de tu familia. La mayor parte de los hijos adultos están dispuestos a cambiar sus horarios en el trabajo y en casa para hacer lo que sea necesario, pero esto puede resultar difícil cuando los padres necesitan ayuda durante largos períodos de tiempo. Los cambios continuos causan estrés y es poco probable que puedan equilibrarse las necesidades de todos los miembros de la familia excepto durante cortos períodos de tiempo.

Cathy y su familia visitaban a sus padres con frecuencia, generalmente en vacaciones. Después del primer ataque, ella empezó a visitarles varias veces al mes, con frecuencia sin el resto de la familia. John tenía que trabajar la mayoría de los fines de semana y los niños estaban creciendo y realizaban sus propias actividades. Cuando la familia empezó a quejarse por su ausencia, Cathy les reprendió por su egoísmo y por no preocuparse de sus padres, que la necesitaban en aquel momento.

Finalmente, Cathy hizo que una asistenta visitase a sus padres y contrató un servicio de reparaciones. Sus padres lo aceptaron a regañadientes durante un tiempo, pero después pidieron que les dejasen solos. Dijeron que podían arreglárselas por sí mismos y que no querían extraños en casa. Cathy logró que John y sus hijos mayores hiciesen algunos trabajos en la granja durante varios meses, pero después lo dejaron debido a que su padre insistió en que la familia «dejase su granja tranquila». Incluso les acusó de querer quitarle la granja y les amenazó con desheredarles.

Equilibrar eficazmente los distintos factores implicados, hacer que la familia esté de acuerdo con un plan y tener que cambiarlo una y otra vez puede ser irritante. La frustración y la ira crecen a medida que la situación empeora, y cuando las emociones se desatan, se puede presionar a otros miembros de la familia de una forma que les aleja del problema en vez de invitarles a colaborar.

Cathy intentó convencer a sus padres por todos los medios posibles de que necesitaban cambiar su estilo de vida y aceptar alguna ayuda en la granja. Estaba convencida de que sus hijos podrían tener una influencia positiva en sus padres y pensaba que con su ilusión les animarían. Sin embargo, esto no ocurrió, y los niños volvieron a casa a mitad de verano, disgustados y enfadados con sus abuelos. Cathy y John reñían sin parar y estuvieron a punto de separarse. Ella y su hermana Ann intercambiaban llamadas telefónicas tensas, ya que Cathy se sentía cargada de responsabilidades, cansada de sus batallas con todo el mundo y abrumada por las exigencias de los demás.

Lo único que hacía Cathy para manejar la situación era continuar haciendo lo mismo. Su forma de actuar era exigirse aún más a sí misma y a su familia. Pero exigirse más tenía el efecto opuesto. Su marido y sus hijos se retiraron aún más y el resultado fue que se ganó la antipatía de toda la familia, incluyendo a sus padres. En vez de mejorar las cosas, sus esfuerzos sólo empeoraron una situación que ya era mala de por sí.

Cuando la enfermedad crónica y los problemas persisten, es necesario cambiar de estrategia. Cathy necesitaba modificar sus tácticas, parar, analizar lo que les estaba sucediendo a sus padres y a su familia y buscar otro camino. Generalmente, en situaciones como ésta, cuando persisten las intervenciones destructivas, es necesaria la aparición de una crisis que desafíe a la familia a cambiar, a veces para mejorar y a veces para empeorar.

Sexto paso: mantener el control en las crisis

Es frecuente que estallen crisis a medida que las exigencias del cuidado de los padres pasan factura. Las tensiones aumentan y los conflictos rompen las relaciones familiares. Hacia el final del verano John amenazó a Cathy con abandonarla si continuaba invirtiendo todo su tiempo y energía en el cuidado de sus padres. Sus padres se negaban a cambiar su forma de actuar, y John no entendía la razón por la que Cathy se empeñaba en proporcionarles los cuidados que ellos rechazaban. Él no tenía esos problemas con sus padres.

Cathy y John decidieron seguir juntos por el bien de sus hijos, pero era raro el día en que no discutían. La tensión creció y los niños comenzaron a tener problemas. El hijo menor, que siempre había sido un estudiante modelo, empezó a suspender exámenes y a meterse con el profesor y otros compañeros. John explicó lo que le estaba ocurriendo a su familia:

> Los padres de Cathy han sido una molestia la mayor parte de nuestra vida de casados, pero sobre todo durante los últimos cinco años. Casarnos y tener hijos cambió nuestras vidas, pero tratar con sus padres nos ha afectado mucho más.
>
> Siempre me he llevado bien con ellos, pero ahora me resulta difícil pensar bien de ellos porque han cambiado mucho. Su estado de salud ha empeorado y no parecen preocuparse por nada, ni por ellos mismos, ni por los niños, ni por nosotros. Se han vuelto tan desagradables que hay veces que no puedo soportar estar con ellos. Incluso me desagrada hablar con ellos por teléfono.

Si los problemas continúan durante mucho tiempo, al final los miembros de la familia son incapaces de manejarlos. No es raro que trasladen sus sentimientos hacia la persona que está enferma o a otro miembro de la familia, al cual culpan o utilizan como chivo expiatorio. El sistema familiar se rompe por no poder solucionar los problemas o utilizar los recursos de una manera eficaz. En esta situación aparecen enfados y conductas violentas, además de frustración y depresión por no poder estabilizar las circunstancias cambiantes.

Finalmente Cathy reconoció que su propio hogar se estaba derrumbando y que su familia estaba trastornada. Su hijo mayor fue detenido en el curso de una redada en los patios del colegio. Su hijo Ted, que estaba en la escuela militar, fue sancionado por copiar en los exámenes. Otro hijo, Alan, perdió su empleo en el periódico por no cumplir con su trabajo y su hijo Jason anunció que dejaba la universidad.

John culpaba a Cathy de los fracasos de sus hijos. Pasaba mucho tiempo con sus padres y había dejado de ser una madre para ellos. En respuesta, Cathy estaba furiosa con John y le acusaba de no haber sido un buen padre. Se sentía culpable porque había fracasado con sus padres, con sus hijos y en su matrimonio. Cathy se obsesionó con sus fracasos: una familia que se estaba derrumbando y un futuro que no parecía conducir a ninguna parte. Se dio cuenta de que estaba respondiendo a las necesidades de sus padres sin ser consciente de la importancia de tomar el control de su vida y elaborar una estrategia adecuada.

Séptimo paso: distanciarse y seguir adelante

Este proceso es distinto en cada familia, pero a lo largo del tiempo ocurren ciertas cosas que separan al enfermo crónico del resto de la familia. El reto consiste en estar al mismo tiempo cerca y lejos del enfermo crónico.

Cuando Cathy ingresó a su madre en un asilo dio los primeros pasos para distanciarse. Sin embargo, varios problemas lo hicieron difícil. Los médicos no esperaban que su madre sobreviviese a la segunda trombosis. Su recuperación fue una sorpresa y nadie sabía cuánto viviría ni cuándo tendría otra trombosis. Cathy comenzó a prepararse emocionalmente para la muerte de su madre. Aunque sabía que había hecho todo lo que había podido por ella, aún sentía un dolor abrumador y una gran tristeza ante la perspectiva de su pérdida.

Cathy habría deseado que las cosas se resolviesen de forma distinta. Las conversaciones diarias con su padre eran dolorosas. Él se sentía culpable. Si la hubiese cuidado mejor habría podido prevenir los ataques. Verle llorar era una experiencia demoledora porque Cathy nunca había visto llorar a su padre. Siempre había mantenido la fachada de hombre duro.

Dejar marchar a los padres es un proceso complicado. Está basado en un hecho fundamental de la vida: todos somos mortales y al final moriremos. Pero es más difícil cuando los padres sufren y la agonía se prolonga. Con frecuencia implica algo más que distanciarse y pasar menos tiempo con los padres enfermos. Es distinto en cada situación. Para algunas personas significa distanciarse y estar menos tiempo con ellos. En otros casos el tiempo que se pasa juntos no varía, pero disminuye la sensación de que hay que resolver todos y cada uno de los problemas.

Por tanto, distanciarte implica cambiar lo que esperas de ti mismo. Si tú y tu familia queréis continuar con vuestra vida, es necesario que te separes más de tus padres ancianos y enfermos. Esto no implica que abandones a tus padres, sino que pongas límites a lo que haces. Las familias se reorganizan a medida que las generaciones nacen, crecen y mueren, y las responsabilidades y obligaciones de los miembros de la familia cambian durante el proceso. Lo que sí es difícil es actuar responsablemente con los que sufren una enfermedad crónica y al mismo tiempo satisfacer las necesidades de tu familia.

El deseo de morir de los padres es otra cuestión que entra en juego en este proceso. Muchas personas mayores, e incluso individuos jóvenes que padecen una enfermedad crónica, prefieren morir a continuar con una vida de dolor y sufrimiento. Con frecuencia, mientras ellos están deseando morir, sus hijos siguen empeñados en mantenerles vivos, temiendo la muerte y la separación.

Nuestra sociedad ha comenzado a reflexionar sobre el valor de «morir con dignidad» y los problemas asociados al uso de medios artificiales (equipos de alta tecnología) para alargar las funciones biológicas de una persona cuando su existencia ya no tiene ninguna calidad. Por norma, cuando un anciano ingresa en un hospital, se le pide que indique su voluntad respecto al empleo de medios técnicos para alargar la vida. Sin embargo, hace falta algo más que conseguir una firma. Es necesario que la familia conozca y respete la voluntad de su pariente y que esté dispuesta a apoyar sus deseos. Saber que un pariente ha muerto como deseaba puede ser un alivio, aunque como consecuencia su vida haya sido acortada. Mantener la calidad de la vida incluye controlar la calidad de la muerte.

ALGUNOS CONSEJOS PARA LA APLICACIÓN DE LOS SIETE PASOS

Antes de comenzar a explicar detalladamente cada uno de los siete pasos y problemas que hemos planteado, queremos revisar varias ideas que hay que tener presentes cuando se acepta la responsabilidad de cuidar de un anciano.

1. *Las enfermedades crónicas duran toda la vida.* Los desafíos que implica el envejecimiento y la enfermedad crónica pueden resultar abrumadores para la persona que cuida del enfermo precisamente porque influyen en casi todos los aspectos de la vida durante un largo período de tiempo. Aunque no hay «recetas» con normas concretas, hay una serie de cosas que puedes hacer para prepararte para lo que te espera y así proteger tu dinero, tu salud, a tus hijos y a tus padres.

2. *La acción se desarrolla en casa.* Nuestro hogar es el lugar donde la mayoría de nosotros nos sentimos más cómodos. La raíz latina de cómodo, «confortare», significa «fortalecerse mucho». Aunque tus padres puedan pasar algún tiempo en un hospital u otro dispositivo asistencial, la mayor parte del trabajo discurrirá en casa: en la suya y en la tuya.

3. *Un asilo puede ser un hogar.* Uno de los mayores retos que afronta una sociedad en lo que se refiere a los cuidados de larga duración es proporcionar un abanico de servicios de apoyo para atender a los enfermos crónicos y a sus familias. Los asilos ocupan un lugar importante y legítimo en el espectro de servicios de cuidado de larga duración. Incluso la propia casa puede equivaler a «un asilo de una persona». No obstante, si te niegas a dejar a un pariente enfermo e impedido en manos de otros que están mejor preparados para proporcionarle la ayuda que necesita, puedes comprometer tu bienestar y el de tu familia.

Con demasiada frecuencia los hijos prometen a sus padres que no les ingresarán en un asilo sin pensar en las consecuencias. Generalmente, estas promesas se hacen por coacción, como los antiguos matrimonios de conveniencia. Estas promesas no deberían ser consideradas acuerdos vinculantes basados en la decisión libre de las partes que consienten.

4. *La responsabilidad del cuidado de los padres no es exclusiva de los hijos adultos.* Excepto cuando los padres están gravemente impedidos mental o físicamente, ellos son los responsables de su propia salud, seguridad y bienestar. Además, tienen derecho a cierta intimidad y autonomía: el derecho a tomar las decisiones sobre su cuerpo y su vida. Incluso cuando la enfermedad crónica deteriora su salud y seguridad, los padres pueden rechazar la intromisión de la familia o de otras personas. Aunque resulte

duro aceptarlo, a no ser que existan circunstancias especiales como demencia, depresión o paranoia (lo cual puede ser determinado por un profesional), tus padres tienen derecho a rechazar tu ayuda.

Esto crea enormes dificultades a los hijos. Los padres necesitan ayuda pero piensan que recibir ayuda es degradante. Los hijos pueden no estar de acuerdo, pero para los padres no recibir ayuda puede ser la alternativa más digna. Algunas personas prefieren terminar quejándose y sufriendo en vez de ser ingresados y mimados en una residencia. No es fácil respetar estas decisiones, pero en algunos casos es lo correcto.

5. *Convivir con la enfermedad crónica es difícil.* Las familias necesitan elaborar dos tipos de estrategias de afrontamiento, aunque a medida que pase el tiempo ambas se volverán cada vez más difíciles de aplicar. Una consiste en desarrollar estrategias para manejar las necesidades del enfermo. Las actividades y rutinas más simples se pueden volver extremadamente absorbentes, requiriendo mucha energía y paciencia. Ayudar a los pacientes enfermos a realizar actividades cotidianas como asearse, vestirse, comer, andar e ir al baño no sólo requiere mucho tiempo, sino que puede resultar embarazoso.

El segundo tipo de estrategia consiste en reestructurar las rutinas diarias para satisfacer las necesidades del resto de la familia. Una calidad de vida razonable requiere una cierta disponibilidad de tiempo para uno mismo. Aunque haya que hacer un esfuerzo, es fundamental disponer de oportunidades para descansar, tener tiempo libre y programar el resto de las obligaciones: los niños, el trabajo e incluso el ocio.

6. *Tu habilidad para manejar el estrés y la incertidumbre son los recursos más valiosos de que dispones.* La resolución eficaz de los problemas es la clave para responder con éxito a los desafíos que plantean las tareas diarias en todas las fases de la enfermedad crónica. Para poder sobrevivir a las exigencias aparentemente interminables del cuidado de los padres, hay que invertir dinero y energía y tener una gran resistencia física y psicológica.

Generalmente, en las fases tempranas de la enfermedad crónica las familias dedican mucho tiempo a atender las necesidades del enfermo. Si esta actividad intensa continúa durante un largo período se descuidarán las necesidades de otros miembros de la familia. Un objetivo importante relacionado con el afrontamiento y la vida es definir los deseos, necesidades y preferencias de cada miembro de la familia, incluyendo al que recibe los cuidados. Esto podría implicar hacer que cada uno redacte una lista en un papel y después comparar las anotaciones. Puede ser útil realizar este ejercicio periódicamente, porque permite expresar abiertamente acuerdos y prioridades. No pretendemos decir que los procedimientos de toma de decisiones harán la tarea fácil y simple. No obstante, estas estrategias nos ofrecen algo en que apoyarnos ante un futuro que con frecuencia parece incierto.

7. *Analizar las limitaciones.* Cuando los padres están enfermos, solos, o incapacitados, tienen sus propias ideas sobre cómo, cuándo y dónde debe ayudarles la gente. Pueden rechazar una ayuda que en realidad necesitan y tener expectativas poco realistas sobre la posibilidad de recibir otro tipo de apoyo. Una madre que quería recibir más atención le dijo a su hija, que trabajaba y criaba a sus tres hijos: «A ellos les tendrás para siempre, pero a mí sólo me tendrás unos cuantos años más».

Es probable que los hijos se sientan obligados a hacer lo que se espera de ellos, sobre todo si sus padres se lo piden de forma directa o indirecta. Aunque cumplir con estas obligaciones durante un corto período de tiempo puede hacerles sentir bien, o al menos reducir su sentido de culpa, responder a estas obligaciones de forma no cualificada durante mucho tiempo puede provocar ira, frustración y otras muchas reacciones. Además, cuando se ignoran o posponen otras demandas y aumenta inexorablemente la presión de los niños, del cónyuge y del trabajo, la situación se convierte en un círculo vicioso.

En algunas circunstancias es importante reconocer que aunque puedas satisfacer algunas o la mayoría de las necesidades de tus padres, no siempre podrás responder a esas necesidades de la manera que ellos quieren. A veces las expectativas de los padres no se manifiestan o lo hacen de una forma que genera culpa: «Ya sé que estás muy ocupado para...». Si las expectativas de tus padres están más allá de tus recursos pero tienes un plan de acción razonable, debes aprender a aceptar que probablemente has hecho todo lo que has podido en esas circunstancias. Podrías necesitar ayuda para manejar tus propias expectativas poco razonables sobre lo que deberías hacer por tus padres o para resolver los problemas cuando éstos te hacen sentir culpable al plantear exigencias poco realistas.

A veces es legítimo no sentirse obligado a responder a las expectativas de alguien. Sentir ira y desprecio hacia los padres supone una gran carga para los hijos, pero estos sentimientos pueden ser reales e imposibles de superar. Admitir tus sentimientos y hacer lo que crees que es apropiado es el mejor camino. En estos casos puede ser útil hablar con otro pariente o amigo para asegurarte de que no te estás escondiendo de tus verdaderos sentimientos.

8. *Debes estructurar las intervenciones para que la familia haga pequeños ajustes sucesivos en vez de una adaptación brusca.* Generalmente, responder a las necesidades del enfermo crónico no requiere la rapidez de una sala de urgencias. En realidad, suele ocurrir justo lo contrario. Es más sencillo adaptarse a los cambios pequeños y a un patrón de cambio lento y uniforme que a los cambios bruscos. Además, es más fácil entender los cambios pequeños, ya que te da tiempo para pensar en las consecuencias de los cambios en las relaciones y obligaciones familiares.

Elaborar un horario y un plan de trabajo con objetivos concretos te ayudará a definir el modelo de pequeños cambios sucesivos que necesitas. El plan debería centrarse en la salud y en las necesidades personales del individuo enfermo, pero cuando otros miembros de la familia están proporcionando cuidados, sus deseos y preferencias tienen que ser contempladas en el horario y en el plan de trabajo.

9. *Si tienes hijos, implícales.* Los hijos, incluso los más pequeños, pueden ser buenos ayudantes. Excluirlos puede crearles una serie de problemas, como ansiedad por no saber lo que va mal, tristeza o culpa por sentirse responsables de lo que ocurre, o enfado al verse excluidos o privados de tu atención.

Los hijos no son contenedores vacíos. Piensan y sienten sobre lo que ocurre. Como el resto de la familia, tienen derecho a estar informados y a que se les permita expresar sus sentimientos, y si es posible, a que se les permita implicarse de una forma que les resulte cómoda. Implicar a los hijos te da la oportunidad de pasar más tiempo con ellos y les enseña el valor de cuidar de otros. Estos vínculos te dan el apoyo emocional que necesitas para tratar con tus padres y fortalecer la familia.

Aprender a valorar la vejez

Los hijos siempre han sido considerados el recurso más valioso de la sociedad, y no hay duda de que la continuidad de nuestra civilización depende del éxito y bienestar de las siguientes generaciones. No obstante, los hijos crecen y se convierten en adultos que tienen sus propios hijos, quienes a su vez crecen y envejecen. Crecer y envejecer son algunas de las mejores oportunidades de la vida, y los hijos aprenden a afrontar estos retos en la familia.

El rápido aumento de la población geriátrica está presionando a los hijos adultos para que encuentren formas responsables de relacionarse con sus hijos, con su cónyuge, con sus padres y satisfacer sus necesidades personales.

En los próximos siglos, cuando nuestros descendientes analicen el final del siglo XX y el comienzo del siguiente milenio, verán que el rápido envejecimiento de la sociedad causó un enfrentamiento de valores sobre el cuidado y la vida.

La siguiente carta fue escrita por uno de nuestros clientes, David Jenson, a su hermano Tommie. Habla sobre su madre enferma y sobre su reacción emocional ante sus responsabilidades familiares:

> Querido Tommie:
>
> No sé por qué escribo esto. Supongo que tenía que contárselo a alguien. Me parece extraño pedir ayuda. Ya sabes que siempre he sido el hermano mayor para ti y para nuestra hermana. Siempre veníais a contarme vuestros problemas. Todos los miembros de la familia han acudido a mí para pedirme consejo, para tomar decisiones difíciles e incluso a veces para pedirme ayuda económica. Me sentía orgulloso de ello.
>
> Ya no soy la misma persona. Desearía construir un muro que me alejase de los demás. Le he fallado a mamá, ya no sé convencerla. Cuando la vi la semana pasada todo estuvo claro. Debe ingresar en un asilo o venir a vivir con nosotros, pero se niega a hacerlo.

Mamá desea morir desde que papá falleció. No come bien ni se cuida. Ahora incluso parece un poco confusa. Siempre que conversamos habla sobre la muerte. Nuestra madre, que siempre fue cariñosa, divertida y activa, ha cambiado por completo. Me duele verla así.

Me enfado al pensar que está tirando la toalla. Recuerdo cómo hizo que me recuperase cuando era pequeño. Todo el mundo, incluso los médicos, pensaban que yo moriría, excepto mamá. Sólo tenía cuatro años, pero la recuerdo sentada en mi cama. «Eres un Jenson», me decía mientras acariciaba mi pelo, «y cada Jenson debe hacer algo importante antes de morir.»

Recuerdo que después de recuperarme pensé que tenía que crecer y hacer algo para que ella se sintiese orgullosa de mí. No puedo librarme de esos recuerdos. Sigo pensando que debo cuidarla, pero no me deja y me siento impotente.

Aunque su primera intención fue tratar de hacer que la vida de su madre fuese como él quería, David decidió ingresarla en un asilo en la ciudad donde ella vivía desde hacía cincuenta años. Él y su esposa Jane la visitaron regularmente hasta que murió dos meses después. Por deseo de John, la familia entera, hermanos, hermanas, tíos, tías, sobrinos, sobrinas y los nietos, visitaban a la señora Jenson, de forma que no pasaba un fin de semana sin que algún pariente la visitase. Murió tranquilamente una tarde mientras David acariciaba su cabello.

Semanas después, cuando David y Jane limpiaban el piso de su madre, encontraron un viejo álbum del veinticinco aniversario de boda de sus padres. Dentro del álbum había una trozo amarillento de papel arrugado con su letra. Las palabras le resultaban familiares, era parte de un discurso que había pronunciado en la fiesta del aniversario:

Ahora que he envejecido me siento afortunada por muchos motivos. He tenido el privilegio de ver crecer a mis hijos y a mis nietos, he aprovechado las infinitas posibilidades de la vida. He experimentado el placer de vivir y de aportar lo poco que he podido al mundo. Pero quizás lo más importante es que he sido bendecida con un marido apasionadamente enamorado que me ha dado mucha felicidad.

Nuestra familia es como un elixir mágico. Cada uno es distin-

> to, pero cuando estamos juntos formamos algo maravilloso. Rezo para que podamos pasar juntos muchos años con salud y felicidad, y si Joe o yo enfermamos gravemente, sólo pido que muramos rápidamente para que la familia pueda seguir adelante, reinvirtiendo su amor en las generaciones que nacerán. En la actualidad hay demasiados viejos.

¿Qué quería decir la señora Jenson con su último comentario? ¿Realmente hay demasiados «viejos», o es que la mayoría de la gente se fija sólo en los aspectos negativos del envejecimiento? El tesoro más valioso de nuestra sociedad es que está compuesta por personas de distintas edades. Todos somos guardianes del bienestar y la salud de los demás, fiduciarios de nuestro futuro y depositarios de nuestro recurso más preciado: todos nosotros. El reto que afrontamos es encontrar formas de jugar un papel positivo durante nuestros años adultos y cuidar unos de otros en vista del rápido envejecimiento sin precedentes de nuestra sociedad.

Esperamos que este libro te ayude a superar este reto. Los siete capítulos siguientes describen cómo se acercan y distancian las familias a medida que se reorganizan para cuidar de sus parientes ancianos. Explicaremos los siete pasos del cambio en diferentes familias y somos conscientes de que en ocasiones desmenuzamos la vida familiar, pero el objetivo es centrarnos en aspectos concretos de lo que en realidad son interacciones dinámicas. Atendiendo a las distintas etapas del cambio y tomando instantáneas de la vida familiar, podremos centrarnos en problemas concretos y explicar estrategias y tácticas para lograr que el cuidado sea más eficaz.

1

Identificar los problemas y establecer un orden de prioridad

El primer paso para resolver los problemas con éxito es identificarlos. La identificación de los problemas no es un proceso estático. A medida que las circunstancias cambian, surgen numerosos problemas que obligan al individuo que cuida de sus padres a adaptarse y a cambiar sus planes. La habilidad para reconocer los problemas evoluciona a medida que aumentan los conocimientos y se amplía la perspectiva. Incluso las actitudes pueden cambiar. Es como leer una serie de artículos de periódico para seguir una historia. Se descubren más detalles y se comprende mejor a medida que ésta avanza.

Es esencial cultivar la habilidad para identificar los problemas, puesto que la eficacia de una persona que cuida de sus padres depende de la adecuada resolución de los mismos. Esto puede parecer simple y obvio, pero no siempre es fácil detectar si les está pasando algo grave a tus padres ancianos. Puede que la familia ignore que necesitan ayuda. Muchos ancianos mayores de ochenta años se van debilitando poco a poco y necesitan cada vez más ayuda, pero son demasiado orgullosos para pedir ayuda a sus hijos.

Cuando los padres padecen alguna enfermedad como hipertensión, problemas cardíacos, artritis, demencia, o diabetes —por mencionar algunas— es fácil darse cuenta de que tienen un problema de salud. Un ataque al corazón o una caída que produce una fractura de cadera pueden precipitar una visita de emergencia al hospital. En este caso el problema es obvio. Pero puede resultar bastante más difícil detectar otro tipo de problemas. Generalmente, jóvenes y ancianos tienden a negar que algo va mal, y con frecuencia los ancianos restan importancia a los síntomas achacándolos a la edad. Aunque tus padres estén recibiendo asistencia médica, puede que el diagnóstico no sea correcto. Es posible que tengan varios médicos, cada uno de los cuales se centra en un solo problema y prescribe medicación sin saber lo que están haciendo los demás.

Este capítulo trata de ayudarte a «ver» lo que les ocurre a tus padres. Al margen de otros factores específicos, existen cinco factores que afectan a tu habilidad para identificar los problemas de tus padres:

- Tu forma de ver el mundo.
- Tu miedo a envejecer.
- Tus conocimientos sobre el envejecimiento y los problemas de salud.
- Tu motivación para la tarea.
- La forma de funcionar de tu familia.

Tu forma de ver el mundo

El autoconocimiento es un componente esencial de la habilidad para reconocer los problemas. Encontrarás soluciones permanentes a los problemas que plantea el cuidado de los padres cuando seas capaz de comprender cómo sientes y piensas sobre ti mismo. La forma de verte a ti mismo determina tu forma de ver a los demás. Por tanto, hasta que no reflexiones sobre cómo te ves a ti mismo y a los demás, no podrás comprender cómo se ven y cómo se sienten los demás consigo mismos. Si no eres consciente de la relación entre cómo te ves a ti mismo y cómo ves a los demás, te arriesgas a proyectar en tus padres tus sentimientos y opiniones sobre ellos. Cuando surja un desacuerdo creerás que tú estás siendo objetivo y ellos no.

Numerosos estudios muestran que los sentimientos que la gente atribuye a los demás pueden ser proyecciones de sus propios sentimientos, que tienen muy poca relación con la situación real de la otra persona. Por ejemplo, si tiendes a ser optimista, restarás importancia a los problemas de los que hablan tus padres y los considerarás poco importantes. Pensarás que tus padres no pueden tener problemas. Por otra parte, si sientes ira y resentimiento hacia tus padres puede que creas que sus expresiones de dolor y necesidad de ayuda son simplemente sus quejas de siempre. Una actitud pesimista o culpable puede hacer que exageres mentalmente cada problema, achaque o dolor y que en vez de tratarles como adultos les trates como a niños que necesitan ser dirigidos. El temor a la enfermedad y a la muerte puede llevarte a depender excesivamente de los médicos y hospitales o, a la inversa, inducirte a rechazar a algunos profesionales por considerarles incompetentes.

La naturaleza de tus relaciones con tus padres también determina tu opinión y sentimientos hacia ellos. Puede que aunque tus padres te hayan causado dolor en el pasado todavía sientas que les debes respeto y atención simplemente porque son tus padres, o puede que por el contrario sientas ira y resentimiento hacia ellos. Conocerte a ti mismo significa aceptar una serie de sentimientos y superarlos. Si te centras en los sentimientos negativos hacia tus padres y en cómo te hicieron daño en el pasado, puedes sentirte una víctima, y por tanto ser incapaz de hacer algo constructivo. Si quieres que tus padres cooperen más y trabajen más eficazmente contigo, debes llevar la iniciativa y tratar de cooperar con ellos.

Reconocer tus sentimientos puede ser tan simple como escucharte a ti mismo cuando hablas sobre tus padres. Es importante que te permitas sentir y no trates de engañarte sobre lo que sientes. Puede ser útil que el cónyuge o un amigo escuchen tus comentarios sobre la situación sin juzgarte y, si es posible, que escuches sus impresiones sobre lo que dices sin sentir resentimiento o culpabilidad por sus observaciones. Es fundamental que no culpes al espejo por lo que ves en él. Puede ser útil grabar lo que dices cuando hablas de tus padres. Después puedes escuchar de nuevo la conversación y fijarte en el tono y en el contenido de lo que dices.

Los grupos de autoayuda para personas con trastornos como la enfermedad de Alzheimer, el cáncer o problemas coronarios, pueden ser útiles. Si no puedes manejar tus sentimientos, los centros y los profesionales de la salud mental pueden ayudarte. Si no puedes hablar de tu situación sin llorar, sin enfadarte de forma descontrolada, sin culpar a alguien o sin sentirte desesperanzado e incapaz de hacer algo, probablemente necesitas ayuda profesional. El capítulo 3 te enseñará a manejar estas emociones.

Tu miedo a envejecer

Independientemente de cómo hayan sido tus relaciones con tus padres, verles cambiar con la edad, enfermar y morir te obliga a enfrentarte con la ilusión de la inmortalidad. La enfermedad y la muerte dejan de ser abstracciones. Aunque los padres tengan buena salud, los cambios físicos nos recuerdan que el tiempo pasa y provocan preguntas e inquietudes sobre el futuro. La mayoría de la gente no está preparada para ver cómo sus padres envejecen y mueren.

Hacer frente a la realidad de la creciente debilidad, la enfermedad crónica y la muerte recuerda a la gente lo que les espera no sólo a sus padres, sino también a ellos. A mucha gente no le gusta hablar ni pensar sobre hacerse viejo. La mayoría tiene miedo a envejecer y trata de evitar afrontar esta realidad, y algunos incluso mienten sobre su edad. Con frecuencia el miedo y la evitación interfieren con la habilidad para percibir la situación de los padres e impiden que les veamos como seres humanos.

Ivan Williams, un hombre de cuarenta y dos años que cuida de sus padres escribe sobre este temor:

> Mucho antes del ataque al corazón, ya era consciente de que papá y mamá estaban cambiando. Se estaban haciendo viejos, y eso me preocupaba.
>
> Les quería y disfrutaba de su compañía, pero las arrugas me disgustaban... no las arrugas en sí, sino lo que representaban. Supe que les quedaba menos tiempo.
>
> No quería que envejeciesen, no quería perderles. Incluso pensaba que vivirían para siempre. Sabía que esto era una ilusión.
>
> Mis miedos me impedían ver otros aspectos de mis padres. Al acercarme a ellos, vi que papá no era ambicioso sólo en los negocios (el ambicioso hombre de negocios que conocí de niño). ¡Era ambicioso en todo! Este hombre aprovechaba cada segundo. Con setenta años, tradujo un libro, ganó varios premios de fotografía, fue a Europa y adoptó dos niños. Ni siquiera mamá conocía todos sus premios. Se sentía incómodo porque ganó el primer, segundo y tercer premio dos años seguidos.

La mayoría de nosotros vivimos sin saber exactamente cuándo moriremos. Sin embargo, a medida que pasan los años, llega un momento en que a no ser por un accidente o muerte prematura, nuestros cuerpos nos recuerdan que ya no somos jóvenes. Rabbi Marc Angel en su libro *The Orphaned Adult* nos cuenta la historia de un joven que tuvo un sueño en el que se le aparecía Dios y le concedía un deseo.[1] El joven no quería morir repentinamente. Le pidió a Dios que le avisase de su muerte, y Dios accedió.

Pasaron los años y el joven envejeció. Finalmente, un día murió mientras dormía. Estaba enfadado y cuando llegó al cielo pidió que Dios le recibiera. Acusó a Dios de olvidar su promesa, porque había muerto mientras dormía sin recibir aviso alguno.

Pero Dios contestó que había cumplido su promesa, que le había dado muchos avisos.

El hombre se quejó furioso, pero Dios simplemente le contestó: «Mira tu pelo gris, tu arrugada piel, la forma en que te encorvas cuando caminas y lo fácilmente que te cansas. ¡Te di muchos avisos, pero no prestaste atención!».

A medida que una persona envejece aparecen muchos signos, y en un momento determinado nos encontramos con un suceso o un conjunto de circunstancias que nos obligan a prestar atención al hecho de que ya no somos tan jóvenes. Juan Álvarez describe la primera vez que fue consciente de que estaba envejeciendo:

> La primera vez que pensé sobre mi propio envejecimiento fue durante la semana que tuve que quedarme con mamá mientras papá estaba en el hospital. Tuve que cuidarla todo el tiempo. La alimenté, le administré la medicación, la saqué de paseo como a un niño y escuché sus quejidos de dolor toda la noche.
>
> La segunda noche mamá necesitó ayuda en el baño, no podía sentarse sin que yo la sujetase y necesitaba ayuda para limpiarse. Se le cayeron las lágrimas. Hice con dulzura lo que tenía que hacer y después sequé sus lágrimas y las mías.
>
> Después, mientras me lavaba las manos no podía dejar de mirar mis arrugas. Mis manos ya no eran las de un hombre joven. ¡Mis manos y yo habíamos envejecido!

La mayoría de nosotros tenemos que aprender a vencer el miedo a envejecer y descubrir cómo hacer que nuestra vida sea pro-

1. Marc D. Angel, *The Orphaned Adult*, Nueva York, Insight Books, 1987.

ductiva y tenga significado. Tenemos mucho que aprender de nuestros padres, y la oportunidad puede presentarse cuando menos lo esperamos, como nos cuenta Larry Chang, un ejecutivo de 39 años:

> Al principio papá y mamá se enfadaron mucho cuando sugerí que debían trasladarse a una comunidad de jubilados. Cuando llegó el día de Acción de Gracias, se negaron a celebrarlo con nosotros. No obstante, la noche anterior fuimos a su casa y enviamos a todos sus nietos a que les pidiesen que nos acompañasen en la cena del día de Acción de Gracias. ¡Tuvieron que aceptar!
>
> Durante la cena papá bromeó con Alissa, la más pequeña de la familia. Nunca se había mostrado tan alegre desde el ataque de corazón. Tras la cena fuimos a la sala donde él cautivó a la pequeña con su versión de la historia de Dorothy y el Mago de Oz mientras tomábamos el café. Alissa le abrazaba mientras él hablaba de la bruja, y todos nos reímos cuando imitó al hombre de hojalata, al león cobarde y al espantapájaros.
>
> Se me hizo un nudo en la garganta. Vi que papá aún daba alegría al mundo. Para mis hijas él era la encarnación de la seguridad y el consuelo, y seguía siendo el que unía a la familia. ¿Sabía cuánto les necesitábamos a él y a mamá en nuestra familia?

Este momento de reflexión reproduce uno de los retos de la vida adulta: ser conscientes de que aún tenemos un lugar en la sociedad y en la familia. Una de las principales funciones de la familia es proteger a sus miembros. Pertenecer a una familia implica ciertos privilegios. Independientemente de los logros del individuo y del papel especial de padres, abuelos o bisabuelos, proporciona oportunidades únicas para contribuir al bienestar emocional de toda la familia. Las viejas generaciones no sólo enseñan valores y educan a los jóvenes, sino que su mera existencia implica a los miembros de la familia en situaciones sociales que dejarán una huella permanente en las futuras generaciones.

Nuestros hijos aprenden mucho viéndonos con nuestros padres, sobre todo cuando éstos necesitan ayuda. Presencian cómo organizamos nuestra vida familiar para cuidar y amar a nuestros padres cuando envejecen, y éste es un legado que integran en sus vidas. Mediante nuestras acciones les enseñamos lo que es apropiado y las cosas por las que merece la pena sacrificarse. Los niños necesitan ver que la familia es un entorno seguro y protector para todos, no sólo para ellos, y ver la recompensa de ser generoso cuando es necesario para el bienestar colectivo. Larry Chang recuerda que su hija Alissa interrumpió una disputa familiar con una afirmación muy aguda que hizo ver a todos que la discusión era dolorosa e inútil:

> Nos reunimos después de la cena del domingo para analizar las condiciones económicas de las comunidades de jubilados que habíamos visitado. Papá y mamá querían ir a un piso modesto y cercano que tuviera una fianza recuperable si morían o si se trasladaban a otro lugar antes de un año.
>
> Mi hermano y mi hermana opinaban que debían ir a una comunidad mejor en un clima más cálido porque se lo merecían. Era su dinero. Debían gastarlo y no preocuparse por dejárselo a ellos. Pero papá y mamá estaban empeñados en dejar una herencia.
>
> Llegó un punto en que todos salieron de la habitación frustrados y enfadados. Papá se fue al baño mientras mamá y yo hacíamos café. Cuando volvimos al salón con el café y las pastas vimos algo sorprendente.
>
> Alissa estaba sentada junto a papá. Tenía los brazos cruzados y fruncía el ceño: «Os he oído pelear y sé cómo arreglarlo todo. Aquí está mi cartilla. Quiero que se la queden los abuelos. ¡Así nadie tendrá que discutir por el dinero!».

Los padres y los abuelos juegan un papel importante en la preparación de los más jóvenes para un futuro que al final conducirá a la muerte. Finalmente, Larry Chang pudo ayudar a sus padres a trasladarse a una comunidad de jubilados, y ellos prosperaron haciendo nuevos amigos y aprovechando todas las oportunidades que se les presentaron. Una tarde el padre de Larry anunció bromeando que él y su mujer morirían pronto debido a que su nuevo estilo de vida era tan activo que acabaría con ellos. Haciendo comentarios de este tipo los padres de Larry le preparaban para entender que la muerte era, como decía su padre, «sólo la terminación de la vida... como el sol ocultándose después de un largo día». Larry escribió:

> Papá se ríe de la muerte para prepararme, aunque yo no quiero oírlo. Dice que aceptar la muerte es como ir en un tren que hace un

recorrido con muchas paradas. Sabe que esta parada es la última y que en algún momento debe hacer lo inevitable: ¡bajar!

Cada generación se prepara para su propio futuro cuidando de sus mayores. William F. Woo, editor del *St. Louis Post-Dispatch*, escribió una columna describiendo cómo los valores y las conductas se modelan de generación en generación. Se refirió a una historia de piedad filial representada en un sarcófago chino del siglo XVI de la Nelson Gallery, en Kansas City, Missouri. La historia destaca las virtudes que Confucio consideraba más importantes: el deber y el respeto de los hijos hacia los padres.

> Un hombre, su hijo y un anciano están sentados en un jergón. La familia no tiene suficiente comida, por eso el hijo y el padre llevan al abuelo a los bosques. Le dejaran allí para que muera.
>
> Cuando regresan, el padre pregunta: «¿Por qué llevas el jergón de vuelta, hijo?». El hijo responde: »Porque algún día lo usaremos para ti, padre».

Tus conocimientos sobre el envejecimiento y los problemas de salud

El envejecimiento no es una enfermedad. Pero a medida que una persona envejece aumenta su riesgo de sufrir una serie de problemas de salud que pueden complicar el proceso de envejecimiento. En la sociedad americana la esperanza de vida ha aumentado en las últimas décadas, pero los mayores peligros (las enfermedades cardiovasculares, cerebrovasculares y el cáncer) pueden incapacitar al individuo mucho antes de que éste muera. Por ejemplo, la artritis es la primera causa de invalidez, pero afecciones como la pérdida de oído y vista, la diabetes, la enfermedad de Alzheimer y otros trastornos relacionados con esta dolencia, la depresión y la hipertensión, afectan a la calidad de vida del anciano. Pueden hacer que el envejecimiento sea amargo en vez de agradable.

Muchos de los síntomas de estas enfermedades son distintos en la vejez. Por ejemplo, un ataque al corazón no siempre se acompaña de un fuerte dolor de pecho. Un anciano que está deprimido puede que no muestre tristeza ni llore, pero puede presentar síntomas físicos como aumento del dolor, fatiga, pérdida o ganancia de peso, y rechazo de las actividades sociales. Además, el tratamiento de estos trastornos y afecciones con medicación puede provocar ciertos efectos secundarios que pueden confundirse con los síntomas de otros trastornos.

Existe bibliografía que puede ayudarte a detectar problemas de salud en los ancianos. Estos libros tratan de enseñarte cuáles son los síntomas más comunes. Ninguno de ellos debe reemplazar la valoración y participación de los profesionales cualificados para realizar una evaluación y explicar los resultados.

Cuando aparece un síntoma o signo inusual (físico, mental o afectivo) hay que acudir al médico, porque un diagnóstico correcto es el primer paso para un tratamiento apropiado. Debido a que habitualmente los ancianos sufren varias dolencias y utilizan distintas medicaciones simultáneamente, una atención médica que asegure su funcionamiento óptimo puede requerir la coordinación de una serie de especialistas. Conseguir esto puede ser uno de los retos más interesantes del cuidado de tus padres.

En realidad, los ancianos no son diferentes de la gente joven, ¡sólo son mucho más complicados! Al contrario de lo que nos dice el saber popular, la mayoría de los ancianos responden bien a la cirugía y a otros tratamientos. No consultar a profesionales cualificados cuando aparece un problema puede implicar toda una serie de dificultades: diagnóstico incorrecto y tratamiento inadecuado, dolor y sufrimiento innecesario, aparición de nuevos problemas e incluso una muerte precoz. Un médico de familia, internista o psiquiatra bien preparado, sobre todo uno cualificado para tratar con pacientes geriátricos, puede ayudarte y ser uno de tus mejores aliados en la tarea de cuidar de tus padres. El capítulo 4 explica cómo acercarse a los profesionales de la salud y trabajar eficazmente con ellos.

TU MOTIVACIÓN

Tu forma de ver las necesidades de tus padres está muy influenciada por tu motivación. Ésta determina tu disponibilidad para cuidar de ellos y el grado en que estás dispuesto a implicarte.

Generalmente cuidamos de nuestros padres cuando envejecen por muchos motivos diferentes, pero hay seis especialmente importantes: amor, equidad, moralidad, ética, envidia y ambición. Puede que estés influenciado por una o más de estas fuerzas, y no sería extraño que afectasen a tu conducta.

Amor. Es imposible cuantificar o describir adecuadamente el sentimiento de amor que existe entre los hijos y sus padres, pero este amor puede estar reflejado en parte en los sentimientos de pérdida y tristeza que persisten cuando los padres mueren. El amor es una fuerza única que motiva a las personas para esforzarse en el cuidado de sus padres.

El amor es un sentimiento profundo. Es muy difícil medir el amor porque tiene muchas facetas, se conduce de formas muy variadas y puede tener distintos significados. El amor puede significar estar íntimamente unido a una persona por afecto, compromiso, intimidad, pasión o fe. No obstante, hay otras formas de pensar sobre el amor. Scott Peck en *The Road Less Travelled* describe el amor como una forma de trabajo, que implica compromiso y un esfuerzo consciente para tomar decisiones y actuar.

Además, expresamos el amor de forma diferente con las distintas personas que son importantes para nosotros. El amor por un hijo es una emoción intensa, y algunos estudios indican que los animales serían capaces de soportar cualquier dolor para ayudar a su prole. El amor entre un hombre y una mujer puede ser lo suficientemente intenso como para romper fuertes ataduras familiares, como se describe en la película *El violinista sobre el tejado*, en la que Tevye trata de aferrarse a su amor por la tradición y la religión y al mismo tiempo intenta entender a su hija, cuyo amor por su marido la ha alejado de la familia. Una amistad tan fuerte como para que un hombre sacrifique su vida por otros en una batalla es otra forma de amor. Y el amor a Dios está entre las fuerzas más poderosas de nuestro mundo. El amor puede ser poderoso e irracional, y no puedes pasarlo por alto cuando elaboras tu plan de cuidados.

Equidad. Generalmente los hijos afirman sentir que deben algo a sus padres: «Mi madre me cuidó cuando era pequeño y no podría mirarme al espejo si no cuidase de ella ahora que está enferma y me necesita». Nuestra necesidad de expresar equidad o reciprocidad devolviendo a nuestros padres los años de cuidados y educación (o descuido e indiferencia) juega un papel muy importante en nuestra forma de enfocar su cuidado. Puede que la reciprocidad esté relacionada con el amor, pero es una motivación distinta.

Cuando las relaciones entre padres e hijos han sido desagradables, distantes o conflictivas, es habitual que los hijos adultos se pregunten: «¿Por qué debo ayudarle? Él nunca me ayudó cuando le necesité». Estos hijos pueden sentirse resentidos y amargados cuando ayudan a sus padres porque su verdadero deseo sería ignorarles y seguir su camino.

La equidad implica hacer algo porque creemos que es justo y equitativo. La definición de lo que es justo y equitativo es muy personal y los demás pueden no estar de acuerdo con tu opinión. Tu cónyuge o un amigo podría decir: «basta y sobra», y puede que tenga razón. No obstante, son tus sentimientos de responsabilidad los que cuentan en esa decisión. Todos juzgamos el valor de lo que nos dieron nuestros padres y lo que tenemos que hacer para que esa relación sea equitativa. Evidentemente, la mayoría de los padres cuidan de sus hijos sin preocuparse de que los hijos hagan lo mismo por ellos en el futuro. Algunos hijos aprecian lo que sus padres han hecho por ellos, otros lo desprecian y otros lo sobrevaloran. Muchas personas creen que al cuidar y apoyar a la siguiente generación de la familia, están devolviendo la ayuda que les prestaron sus padres. La equidad es una motivación innegable y debería ser explícita en tu ecuación.

Moralidad. La moralidad es otra fuerza motivadora compleja. Es un código de conducta que refleja lo que una sociedad determinada opina sobre el bien y el mal y lo que espera de la gente. Afirmaciones como «¡No puedes dejar solo a tu padre!» y «¿Cómo puedes permitir que tu madre viva en esas condiciones?» reflejan el código moral de una sociedad. La moral individual incluye un conocimiento consciente de lo que los demás opinan y de la necesidad de hacer lo que es apropiado en un determinado contexto social.

Aunque pueda parecer que tiene más forma que contenido, lo que la sociedad espera que uno haga es una motivación importante en todas las sociedades. No obstante, puede que la sociedad espere más de lo que tú puedes o quieres dar, y tu miedo al «qué dirán» puede ponerte en una situación insostenible. Ocasionalmente, personas con intereses personales tratarán de utilizar esta situación para influenciarte. Por ejemplo, la funeraria podría presionarte para que compres un ataúd más caro para que los vecinos no crean que te despreocupas. El propio individuo puede hacer que su orgullo y respeto por sí mismo dependan de lo bien que se adapta a la moral de su cultura, y su miedo a transgredir las normas sociales puede llevarle a extremos que en otras circunstancias trataría de evitar.

Ética. A veces es el sentido interno de lo que está bien y lo que está mal lo que guía nuestras acciones. «Mi padre era una persona egoísta y miserable que me maltrató físicamente cuando era niño, pero ahora está mal y no tiene a nadie para ayudarle.» «Supongo que es mi obligación asegurarme de que ingresa en un asilo decente y recibe los cuidados apropiados. Ni quiero ni necesito visitarle. Sólo quiero asegurarme de que recibe lo que cualquier ser humano merece.»

Lo ético es lo que cada persona ha aprendido a considerar correcto. Es una combinación de creencias personales y expectativas sociales asimiladas que nos animan a adaptarnos a las normas de la comunidad en la que vivimos. Nuestros distintos valores éticos también pueden entrar en conflicto unos con otros. Los padres y los hijos, nacidos en momentos y culturas distintas, pueden tener diferentes opiniones sobre lo que está bien y lo que está mal, y la responsabilidad de proporcionar cuidados a tus padres pueden entrar en conflicto con la responsabilidad de cuidar y educar a tus hijos. Estos dilemas éticos son los más difíciles de resolver.

Envidia. Algunas de las motivaciones para cuidar de los padres son más negativas que el amor, la ética y la moralidad. La envidia es una fuerza motivadora compleja que puede tomar distintas formas. Por ejemplo, algunos hijos adultos pueden envidiar las posesiones materiales de sus padres, pero generalmente la envidia actúa de una forma diferente.

Muchos hijos adultos envidian el amor y respeto que los padres sienten por sus hermanos. Cuando los padres envejecen y necesitan ayuda, los hijos pueden tratar de ganarse el amor y respeto de sus padres superando a sus hermanos en su cuidado. Por tanto, la rivalidad entre hermanos puede alcanzar nuevos niveles de competitividad. Como en una nueva representación de las fantasías de control de la niñez, los hijos pueden esforzarse en «capturar» el amor de sus padres siendo más buenos que sus hermanos.

Si no se reconoce y se afronta la competitividad entre los hermanos que tienen envidia de la estrecha relación de los otros con sus padres, puede surgir un conflicto que divida e incluso destruya a la familia. Una actitud «farisea» puede llegar al absurdo de: «Soy la persona más humilde que conozco». Aunque los hijos extremadamente competitivos logren el amor y respeto de los padres, no se sentirán satisfechos porque su motivación es negativa.

Ambición. Por último, la expectativa de obtener bienes materiales puede ser una gran fuerza impulsora. Aunque la mayoría de los hijos adultos no hablan sobre este tema fácilmente, el deseo de estar en la lista de los herederos puede hacer que algunos individuos se muestren dispuestos a proporcionar cuidados a sus padres, y que otros sientan celos y sean crueles con el resto de la familia. Con frecuencia este tipo de comportamiento continúa tras la muerte de los padres, y no son raras las batallas legales por las herencias, aunque generalmente éstas resultan catastróficas para las familias implicadas.

La preocupación por los bienes de los padres no siempre está motivada por la ambición. Puede ser una preocupación sincera por controlar los gastos que se derivan del cuidado. A veces estamos menos preocupados por la herencia que por la perspectiva de heredar una carga económica, y simplemente esperamos «quedarnos igual». No obstante, en ciertas ocasiones, el cuidado puede estar limitado por el deseo de preservar el legado para «la próxima generación». Esto ocurre cuando se restringen los gastos del cuidado en detrimento de los intereses de los padres. En estos casos no debe descartarse la posibilidad de que exista un conflicto entre los hermanos o entre generaciones.

El amor, la equidad, la moralidad, la ética, la envidia y la ambición son fuerzas poderosas en las relaciones familiares, aunque habitualmente no estemos dispuestos a analizar nuestra conducta en estos términos. Estas motivaciones tienen una influencia importante en lo que hacemos por nosotros y por los demás, y no son independientes entre sí. Es humano experimentar estas motivaciones. El reto consiste en ser consciente de cómo afectan a nuestra propia capacidad para comprender y manejar los problemas de nuestros padres.

La forma de trabajar de la familia

Cuando un anciano tiene problemas, el sistema familiar debe responder de alguna forma. El tipo de respuesta dependerá en parte de cómo hayan sido las relaciones familiares en el pasado. La respuesta a las necesidades de los padres establecerá progresivamente unos patrones de conducta familiar a medida que los miembros de la familia se incorporen al proceso de toma de decisiones. Si no eres consciente de la existencia de esos patrones de conducta serás absorbido por el proceso sin identificar los problemas más importantes de tu familia.

Generalmente, las familias en las que evoluciona un modelo concreto de toma de decisiones y resolución de problemas tienen ciertas conductas y estilos de tomar decisiones característicos de su forma de hacer las cosas. El investigador David Reiss ha denominado a esta forma familiar de hacer las cosas «paradigma familiar».[2] Este paradigma es el conjunto de creencias y reglas con las que la familia se enfrenta al mundo de forma característica. Esta forma paradigmática de hacer las cosas puede interferir con la identificación de los problemas si una persona no comprende a la familia.

El caso de la familia Farber ilustra lo que queremos decir. Bernie y Lois Farber, ambos de setenta años, habían estado casados 52 años. Vivían en la misma comunidad que sus cinco hijos (tres

2. David Reiss, «The Working Familiy: A Researcher's View of Health in the Household», *American Journal of Psychology*, 1982, 139.

chicas y dos chicos) y sus respectivas familias. Los Farber eran un grupo muy unido y pasaban mucho tiempo juntos. Los dos hijos formaban parte del negocio familiar que Bernie fundó y dirigió hasta que falleció de un repentino ataque al corazón.

Bernie había dirigido el negocio desde casa, lo que le había permitido acompañar constantemente a Lois. Compartían matrimonio, amistad y compañerismo. De hecho, Lois había sido el «socio silencioso» responsable del éxito de su marido, aunque había estado incapacitada por la artritis durante años. Los negocios de Bernie habían prosperado gracias a su energía y consejo empresarial. A pesar de haber sufrido dolores y haber estado enferma la mayor parte del tiempo, Lois había invertido su energía en dar forma al negocio, pero siempre apoyando a su marido. Tras la muerte de éste, continuó ejerciendo la autoridad y dirigiendo el negocio con sus hijos.

A pesar de su aflicción, Lois habló francamente con sus hijos y nietos sobre la necesidad de que la familia siguiera adelante con su vida. Durante mucho tiempo ella había sido el centro afectivo y la responsable de tomar las decisiones y tras la muerte de su marido mantuvo el control aún más abiertamente. Lois propuso a sus hijos que se hiciesen cargo del negocio y después anunció que si todo iba bien les cedería el control económico el año siguiente. Tres meses después le pidió a una vieja amiga, que también se había quedado viuda recientemente, que fuese a vivir con ella para ayudarla y acompañarla.

La fuerza interior de Lois Farber superó a su incapacidad tanto antes como después de la muerte de su marido. Era una mujer activa que animó a su familia y a sus amigos a disfrutar de la vida y a afrontar la adversidad con valor. Aunque la familia se organizaba alrededor de su fuerte personalidad, ella orquestaba el ritmo de la familia y la vida en común de modo que generaba preocupación por el bienestar de todos. La familia Farber era un grupo unido cuyas creencias básicas se apoyaban en una vida familiar independiente y activa. Identificaban y resolvían los problemas guiados por el control maternal de Lois Farber.

Los problemas que presentan los padres cuando envejecen influyen en la vida de todas las familias. ¡Es algo natural! Aunque el tipo y la gravedad de éstas pueden variar —desde la muerte y la enfermedad crónica, como en la familia Farber, hasta la incapacitación temporal y la estancia en el hospital— la respuesta inicial de casi todas las familias es la misma: reorganizar la rutina diaria para adaptarse a la situación. Lo importante es que seáis conscientes de lo que estáis haciendo. Algunas familias se adaptan fácilmente a las crisis. En estos casos, el cambio y la flexibilidad son parte del paradigma familiar, y las reglas y conductas explícitas cambian de acuerdo con las necesidades que se perciben. Otras familias son rígidas e inflexibles, no comparten el proceso de toma de decisiones y no tienen unas reglas de sucesión claras. Para estas familias es muy difícil adaptarse a los cambios, sobre todo cuando los padres están impedidos. Aunque al principio las cosas vayan bien, al final el sistema se rompe porque cada vez es más necesaria una respuesta flexible.

En las primeras fases de una crisis se establecen unas reglas implícitas de conducta basadas en las forma que tiene la familia de ayudar a sus miembros a afrontar un problema. Estas normas de la conducta familiar pueden ser útiles al principio, pero deben cambiar a medida que pasa el tiempo. Cuando los problemas se complican, la identificación de los mismos se convierte en un proceso continuo de rastreo y solución. La siguiente historia, que trata sobre la familia González y la familia Shelby, ilustra cómo se establecen nuevas normas.

La señora González, de 72 años de edad, se cayó de una banqueta de la cocina cuando trataba de coger unas latas. Se golpeó la cabeza con el fregadero y sufrió una hemorragia. Desgraciadamente, murió poco después de ingresar en el hospital. En aquel momento su marido estaba en un barco de pesca en aguas canadienses. Cuando el señor González regresó y se enteró de lo ocurrido cayó en una profunda depresión. Durante este período, su hija y su cuñado establecieron una regla simple: «Siempre debe haber alguien de la familia con papá». Esto refleja el paradigma de una familia unida, que apoya a sus miembros. El propósito de esta norma era ayudar al señor González a superar la conmoción por la repentina muerte de su esposa. Estaba obsesionado y se sentía culpable por haber estado fuera cuando ella murió, y la familia sabía que había mencionado el suicidio.

La aparición de reglas explícitas o implícitas tras un acontecimiento traumático revela si el sistema familiar está cambiando y ajustándose o si no está adaptándose. La señora González había disfrutado de un estilo de vida muy activo con su marido. Los dos gozaban de una excelente salud, y durante años habían viajado mucho con sus hijos y nietos. Este plan de la hija de mantener acompañado al señor González proporcionaba una regla consistente con el paradigma de la familia, cuyas creencias básicas se centraban en la unidad familiar y en las actividades al aire libre. Todos estaban dispuestos a estar con el abuelo el tiempo que fuera necesario hasta que éste admitiese la situación y continuase con su vida.

Sin embargo, a medida que fue pasando el tiempo, las circunstancias les obligaron a plantear varias normas más para guiarles en el futuro, como «El abuelo necesita tener un espacio privado» y «El abuelo debería pasar los fines de semana cazando, pescando o visitándonos». Transcurridos seis meses, el señor González parecía haber superado su pena y aunque continuaron pasando tiempo juntos, las reglas explícitas dejaron de ser necesarias. Los nietos se sintieron muy aliviados, especialmente los adolescentes, que estaban empezando a tomarse mal el tener que «estar con el abuelo», ya que les alejaba de sus amigos y de sus actividades sociales.

Algo muy distinto ocurrió en el caso de la familia Shelby. Las tres generaciones de la familia Shelby vivían juntas en una granja. Ellos también mantenían una serie de creencias basadas en la unidad familiar. Una tarde el abuelo Shelby, que tenía la enfermedad de Parkinson, insistió en ayudar a sus hijos. Tropezó, cayó y se asfixió en el elevador de grano. Tardaron horas en encontrar su cuerpo, y el horror de su muerte enervó a toda la familia. Después del funeral la familia desarrolló un patrón de conducta motivado por el miedo a que alguien más pudiese morir. La regla implícita era: «Ningún miembro de la familia puede alejarse de casa solo».

Era normal que una familia tan unida y tan preocupada por todos sus miembros plantease esta regla. Antes de que el abuelo muriese en el accidente, toda la familia había trabajado unida durante largas y duras horas. El estilo básico de la familia era el de un gran grupo unido que compartía las tareas de la granja pero que también respetaba la intimidad de cada persona. Tras la inesperada muerte del abuelo, la familia se obsesionó con la tragedia. Los padres estaban preocupados por la posibilidad de que los hijos se hiciesen daño y los hijos estaban molestos por las restricciones que imponían sus padres. Tanto los padres como los hijos se preocupaban mucho por la abuela, a quien difícilmente dejaban salir de casa para nada.

La familia González se recuperó gradualmente de su dolor, pero los Shelby tuvieron más dificultades. El ambiente, que antes había sido cálido y agradable, se volvió tenso. Las discusiones, que antes habían sido raras, ahora eran habituales. Los niños empezaron a faltar a clase y la abuela Shelby se deprimió y se encerró en sí misma, pasando los días en la cama. Como resultado de su ausencia surgió otra norma: «Los niños tienen que hacer su propia cena». Ésta parecía una buena regla, ideada para enseñar a los niños a ser responsables. Pero el resultado fue que cuando la abuela se quedaba en la cama, se quedaba sin cenar. Esto provocó sentimientos de culpabilidad, y como consecuencia aumentaron las discusiones familiares.

Después de varias semanas surgió otra norma: «Los niños no tienen que pedir nada a sus padres ni a la abuela». Esta regla podía causar problemas aún más graves. Un niño no podía salir solo por la tarde y tampoco podía pedírselo a un adulto. El niño sólo podía abandonar la casa si los señores Shelby o la abuela lo *proponían*. Pronto empezaron a ocurrir cosas desagradables. Los hijos pequeños no querían ir al colegio y los demás desatendían sus tareas domésticas. El hijo mayor pasó toda una noche fuera de casa sin avisar, cosa que disgustó a todos.

Lo que le ocurrió a la familia Shelby fue resultado directo de la imposición de reglas familiares poco razonables e inconsistentes. Surgieron una serie de conductas *desadaptativas* que incrementaron las tensiones en la familia. Nadie quería admitir su responsabilidad en la adopción de reglas poco realistas. El conflicto se hizo habitual debido a que los padres y los hijos se culpaban mutuamente por lo que estaba pasando. La abuela amenazó con trasladarse a un asilo. Se culpó a sí misma por lo que estaba pasando y al mismo tiempo acusó a su hija y a su yerno de dejar que las cosas estuviesen «fuera de control» y de no ser buenos padres.

La aparición de nuevas reglas o patrones familiares revela si una familia identifica y afronta sus problemas adecuadamente. Los conflictos surgen cuando las reglas familiares son inflexibles, incapaces de resolver eficazmente los problemas, se contradicen entre sí o rompen viejos patrones. Los problemas de la familia Shelby son un ejemplo de lo que pasa cuando las reglas de la familia no son realistas e interfieren unas con otras, mientras que la suave transición de la familia González ilustra lo que ocurre cuando las reglas familiares son consistentes y se adaptan a las circunstancias cambiantes.

La desorganización continua de las rutinas familiares durante el cuidado de los padres lleva al establecimiento de muchas reglas de comportamiento, y cuando varios miembros de la familia tratan de dictar las normas estallan los conflictos. Esto inevitablemente altera el paradigma de la familia, a menos que los miembros de la familia descifren estas reglas y sepan cómo les están afectando. Es conveniente que los miembros de la familia se fijen en los cambios de humor de los demás, sobre todo los cambios en los niños, que pueden reflejar lo que está ocurriendo y mostrar las tensiones que no son expresadas.

Por lo tanto, para identificar los problemas es necesario descubrir qué reglas han sido establecidas en la familia y si tienen sentido para todos. El siguiente desafío es decidir hasta qué punto las nuevas reglas que se han establecido para cuidar de los ancianos tienen prioridad sobre las reglas por las que anteriormente se regía la familia. A medida que pasa el tiempo algunas reglas pueden permanecer igual y otras necesitarán adaptarse o completarse. Cuando las reglas entran en conflicto entre sí la vida familiar se desequilibra.

Una idea habitual en el cuidado de los padres es: «Debo hacerlo todo por mi madre o por mi padre». Si esta idea se convierte en una norma, puede entrar en conflicto con el resto de las normas familiares. El sentimiento de querer hacerlo «todo» es legítimo, pero generalmente las acciones asociadas con ese sentimiento son imposibles de llevar a cabo. Si esta norma continúa teniendo prioridad y las necesidades de tus padres aumentan, antes o después surgirán graves problemas a menos que tus recursos sean ilimitados.

Marcia y Jim Langer estaban muy implicados en el cuidado de la madre de Marcia, la señora Kurtz, que vivía en un asilo. Sus frecuentes visitas al asilo eran un hábito, igual que comer, respirar, trabajar y dormir. Cuando la señora Kurtz ingresó en el asilo los Langer contrataron a varias auxiliares privadas, y esto mermó mucho sus ahorros. Con el tiempo los Langer tuvieron que despedir a todas las auxiliares menos a una porque, a pesar de su coste, no la querían dejar marchar. Para reducir sus gastos, Marcia y Jim decidieron olvidar sus vacaciones de verano y Marcia impuso un presupuesto mensual muy estricto. Dejaron de salir a comer fuera, y Marcia aceptó un segundo empleo a tiempo parcial. Cuando Jim sufrió un ataque agudo de hepatitis, Marcia se dio cuenta de que el cuidado de su madre había dominado toda su vida.

Marcia expresó su desesperación en la siguiente carta a su prima:

> Quiero a mi madre. No quiero que muera, pero también quiero que muera. El cáncer de estómago la está consumiendo, y ella resiste con gran dolor. Ahora es un esqueleto viviente sujeto por una bata amarilla.
>
> Sé que Bárbara es un apoyo para ella. Cuando estoy allí puedo ver cómo la mira mamá. Bárbara le coge la mano y lee. No quiero que mamá esté sola.
>
> Jim está muy enfermo. Me necesita y paso menos tiempo visitando a mamá. Además, estoy asustada porque no sé cómo seguir pagando a Bárbara. Estoy atrapada entre dos personas a las que quiero. Me siento impotente e incapaz de controlar mi vida.

Marcia estaba tan agobiada que nunca se le ocurrió pedir ayuda a su prima o a otros miembros de la familia. La regla: «Ayudar a mamá a toda costa» se había convertido en «*Yo* tengo que ayudar a mamá a toda costa». Esta regla era tan poderosa que Marcia quedó atrapada en una espiral de presión, aislamiento y empobrecimiento económico. Afortunadamente, la prima de Marcia se dio cuenta del problema e implicó a otros miembros de la familia, por lo menos durante el tiempo que Jim estuvo enfermo.

La historia de los Langer no es rara. Ilustra la importancia de comprender las dificultades que pueden crear nuevos problemas en el cuidado de tus padres. Puedes controlar la forma en que cambia tu vida comprendiendo estos problemas y la necesidad de controlar las normas. Tu plan debería incluir la revisión de una serie de reglas explícitas y poco realistas que tú y tu familia podéis mejorar trabajando juntos.

El siguiente capítulo explica los efectos de la negación. Cuando la familia comienza a ver los problemas que se avecinan, no es raro que niegue que estos problemas existen.

2

Superar la negación

> Cuando mi madre se estaba muriendo me acostaba por la noche e imaginaba que estaba bien, que era joven otra vez. Cerraba los ojos y fingía que viviría para siempre.

Amanda Thomas no quería creer que su madre se estaba muriendo de cáncer. Por la noche, en la oscuridad de su habitación, imaginaba que su madre era joven y que estaba bien. De esta forma eliminaba la ansiedad y podía dormir. Amanda pensaba que podía evitar que su madre muriese si continuaba viéndola joven, aunque fuera en su imaginación.

Puede que el miedo a la muerte no sea universal, pero despierta sentimientos en la mayoría de las personas. Puede que neguemos la enfermedad y la muerte consciente o inconscientemente, pero la muerte no es la única realidad que negamos. Continuamente filtramos información para evitar agobiarnos y oír cosas que no queremos aceptar. El proceso de negación distorsiona los acontecimientos, la realidad y los sentimientos no deseados, convirtiéndolos en medias verdades o falsedades, o eliminándolos completamente.

Cuando nuestros padres están enfermos, puede resultarnos muy difícil mirarles, estar junto a ellos o tocarles. Cuando una persona está en un hospital o asilo, cualquier detalle —cabello enmarañado, piel seca y escamosa, saliva, malos olores, ropa sucia— pueden provocar sentimientos terroríficos. La imagen de una persona frágil, pálida y herida en una cama de una institución puede ser alarmante. Aunque nuestros padres envejezcan con buena salud, los cambios en su cuerpo nos recuerdan que el tiempo pasa, suscitando pensamientos sobre lo que el futuro puede deparar. Es duro afrontar y aceptar que un día los padres morirán o que pueden padecer una dolorosa enfermedad durante mucho tiempo.

Seis indicios de negación

La negación es la reacción natural ante los sucesos desagradables o traumáticos. El trauma producido por un accidente de tráfico, violación, enfermedad grave o muerte de un ser querido, puede paralizar al individuo. La mente reacciona ante estos sucesos aislándose y rechazando la idea de que algo tan horrible haya podido ocurrir.

La negación es una respuesta casi universal a los cambios desagradables. Hasta cierto punto, negarse a ver que algo está mal es adaptativo, sobre todo cuando el individuo no tiene ningún control sobre los acontecimientos. En cierto sentido, la negación actúa como un amortiguador, dando tiempo a la persona para que absorba el impacto de una experiencia o conmoción desagradable. Por tanto, al principio la negación es útil, porque permite sobreponerse a la conmoción y afrontar el dolor. Pero después, analizarla es doloroso porque tienes que afrontar la situación y tus sentimientos más profundos. Esto requiere tiempo y esfuerzo, y la mayoría de las personas necesitan ayuda para hacerlo.

La psicóloga Mardi Horowitz[3] ha descrito seis indicios de negación que suelen aparecer cuando la gente está angustiada:

1. *Tu atención cambia.* Cuando te sientes amenazado y niegas lo que está ocurriendo, se altera tu capacidad para percibir y prestar atención al mundo que te rodea. Puedes estar aturdido, distraerte fácilmente, sentirte incómodo, inquieto e incapaz de comprender lo que está ocurriendo a tu alrededor.
2. *Tu nivel de conciencia cambia.* Puede que te parezca que realmente no estás rindiendo en el trabajo, en la escuela o en casa. Haces las cosas sin darte cuenta de lo que estás haciendo o de lo

3. Horowitz, M. J., «Psychological Response to Serious Life Events», *Human Stress and Cognition: An Information Processing Approach.*

que ocurre a tu alrededor. No es raro sufrir amnesia total o parcial durante un largo período de tiempo.

3. *Tu capacidad para pensar y procesar información cambia.* Puede que inventes fantasías para explicar lo que te ocurrió. Puede que pierdas la conexión con la realidad e interpretes erróneamente lo que otros dicen y hacen. Puedes volverte menos eficiente. Tareas relativamente sencillas pueden parecerte muy complicadas. No es raro obsesionarse con la tarea más simple y temer asumir mayores responsabilidades.

4. *Tus emociones están bloqueadas.* Puede que no pierdas la conciencia de lo que te ha ocurrido, y sin embargo bloquees o alteres tus sentimientos y pienses sobre el suceso o problema de una forma muy intelectual. No expresas cómo te sientes, sino que te refieres a la situación como si fuese el problema de otra persona. Actúas de forma mecánica, escondiendo sentimientos que después pueden surgir de una forma más insidiosa. Puede que explotes fácilmente, perdiendo los nervios por pequeños problemas no relacionados con el suceso.

5. *Sientes achaques y dolores.* Muchas personas padecen una serie de problemas somáticos sin darse cuenta de que estos síntomas corporales son el resultado de la angustia emocional. No es raro tener dolores de pecho, dolor de cabeza, erupciones cutáneas o problemas de estómago y a pesar de todo negar que algo va mal.

6. *Tu conducta cambia.* No es raro obsesionarse con retirarse o huir de la situación. Evitas visitar el hospital o asilo donde están ingresados tus padres o hacer cualquier cosa que te ponga en contacto con la situación que te agobia.

Es fundamental superar la negación, no sólo para ser eficaz, sino para conservar tu propia salud física y mental. Por tanto, es conveniente aprender a identificar los indicios de negación y leer esta sección de vez en cuando. Reconocer la negación es difícil, porque implica que debes afrontar algo que no quieres reconocer. Esperamos que este capítulo te dé la oportunidad de observarte a ti mismo y pensar en lo que estás haciendo. Leer sobre los seis indicios de negación y hablar sobre ellos con un amigo o confidente puede ayudarte a evaluar tu conducta.

¿Qué ocurre cuando la negación persiste?

En la mayoría de los casos la negación desaparece sola en poco tiempo. Poco a poco comenzarás a actuar para superarla. No obstante, la negación puede ser dañina si impide que te cuides adecuadamente o que cuides de otros. Como ya hemos comentado, la negación actúa como un amortiguador de la conmoción. Cuando algo va mal o te hace daño, es un cojín para protegerte hasta que puedas actuar. Si la negación impide que finalmente realices las acciones apropiadas, ésta puede ser perjudicial.

En ocasiones es importante pedir ayuda a un profesional para analizar la negación. La siguiente historia ilustra la importancia de pedir ayuda. No es posible analizar todos los detalles de su problema, pero se supone que la historia de Marilyn y Abigail es un caso con valor pedagógico. Piensa sobre ellas y después reflexiona sobre tu situación. No pretendemos decir que todo el mundo necesita ayuda profesional, pero si no aprecias la importancia de la negación puedes meterte en problemas. Si la conoces, al menos estarás protegido.

Marilyn Haber estaba viviendo un verano exasperante. Su madre, Abigail Marcus, la estaba volviendo loca llamándola por teléfono día y noche. Había comenzado a hacerlo un mes después de someterse a una operación sin importancia. La madre de Marilyn, que siempre había tenido ideas modernas, se había convertido en una anciana absorbente y aprensiva. La señora Marcus se quejaba de achaques y dolores por todo su cuerpo y quería que Marilyn la visitase todos los días. Decía que le daba miedo vivir sola, aunque había vivido sola desde que su marido, Harry, falleció hacía doce años.

Tras la operación visitó a su médico, el doctor Davies, quien le explicó que se había recuperado en un tiempo récord y que para sus setenta y nueve años de edad tenía una excelente salud. Durante el chequeo habló con el doctor Davies sobre su nuevo nieto de Ohio y sobre sus planes para visitar a su hermana en California. Negó estar preocupada o tener miedo y dijo que su hija exageraba al decir que hacía tantas llamadas telefónicas.

Una semana después de visitar al médico comenzó a llamar a Marilyn ocho o diez veces al día. Marilyn utilizaba un contestador automático en casa y dio instrucciones a su secretaria para que cogiese los mensajes en el trabajo. Llamaba a su madre una vez por la mañana y otra vez por la tarde con la esperanza de reducir el número de llamadas, pero fue inútil. Marilyn pidió a sus hermanos de Ohio que llamasen a su madre varias veces a la semana, pero las llamadas continuaron.

Una noche la señora Marcus llamó a Marilyn a las dos de la madrugada pidiéndole que fuese a su casa. Tenía taquicardia y temía que se tratase de un ataque al corazón. Marilyn llevó a su madre a urgencias rápidamente, pero los médicos le dijeron que no le ocurría nada. El doctor Davies recomendó a la señora Marcus que visitase a un asistente social.

Varios días después, en la primera cita, Marilyn se sorprendió al ver que su madre hablaba abiertamente sobre sus miedos con el asistente social. En primer lugar, estaba asustada por ser una superviviente. Ningún miembro de su familia había vivido tanto, y no sabía a qué atenerse. También tenía miedo de convertirse en una carga.

> La mayoría de las personas importantes de mi vida han fallecido, y todos murieron en la casa en la que vivo. Atendí a mi marido durante tres años hasta que murió de cáncer. Mi madre murió de cáncer de laringe y mi padre murió de una trombosis. Yo cuidé de todos.
>
> No sé lo que significa vivir tanto. Recientemente me empecé a preocupar por si Marilyn podría ayudarme si algo me ocurría.
>
> Siempre he cuidado de los demás. Nunca pensé que podría enfermar o convertirme en una inválida. Siempre he sido independiente, y me aterroriza pedir ayuda. Supongo que empecé a asustarme por cada pequeña cosa que me ocurría. Creo que me excedí llamando a Marilyn constantemente.

La señora Marcus dejó de llamar a Marilyn después de la tercera semana de sesiones, y Marilyn decidió cancelar la siguiente visita al asistente social. La señora Marcus estaba un poco disgustada, pero aceptó lo que Marilyn había hecho. No quería ser una carga para su hija.

Todo pareció volver a la normalidad, pero no por mucho tiempo. Las llamadas comenzaron de nuevo, y Marilyn pidió otra cita.

La sesión comenzó con una airada discusión. La señora Marcus acusó a Marilyn de estar demasiado ocupada para pasar tiempo con ella. Marilyn y el asistente social acordaron verse en privado para hablar sobre estos sentimientos, pero Marilyn estaba tan disgustada después de la sesión que pidió un taxi para su madre y paseó durante varias horas en vez de volver al trabajo. Quería que su madre se sintiera a gusto y feliz, pero se sentía confusa y frustrada. En la sesión individual con el asistente social, Marilyn habló abiertamente:

> Mi madre nunca ha sido una persona feliz. Pero quiero que sea feliz en la vejez. He hecho todo lo que he podido, pero parece que no puedo conseguirlo.
>
> Antes de la operación disfrutaba pasando el tiempo con los niños, comprando o cocinando conmigo. Ahora todo lo que hace es quejarse de que no pasamos suficiente tiempo juntas. Pero eso no es verdad. Es imposible complacerla. Cuando estamos separadas llama constantemente y cuando estamos juntas se queja o me critica.
>
> La semana pasada mamá y yo estábamos sentadas en el patio trasero mientras mis hijos jugaban con sus amigos. Mamá me dijo que los niños estaban escuálidos y que necesitaban comer más. Pensé que me acusaba de no cuidar de mis hijos. Me enfadé tanto que quise gritar.

El asistente social se reunió varias veces más con Marilyn y con su madre. Marilyn lo aceptó, aunque no creía que su madre pudiese beneficiarse del asesoramiento:

> Mamá no es la clase de persona que se beneficia de hablar. Insistirá en que el problema es mío, no suyo.
>
> Dirá que está bien y después se mostrará débil y me dirá que debería dedicarle más tiempo antes de que muera.
>
> Me envía este doble mensaje. Es exasperante hablar con ella.

El asistente social le dijo a Marilyn que las cosas no eran tan complicadas como parecían:

> Tu madre sabe que no se está portando bien. Teme que le pueda ocurrir algo malo, y que tú —que siempre la has ayudado— es-

tés demasiado ocupada cuando te necesite. La operación fue el primer problema personal importante que tu madre tuvo que afrontar, y fue una conmoción para ella.

No sólo tiene miedo de envejecer y enfermar. Lo más difícil para ella será tener valor para pedirte ayuda cuando la necesite. Sus constantes llamadas telefónicas son una forma de expresar sus temores. Quiere comunicarse contigo, ¡pero no sabe cómo! Y no estoy seguro de si tú sabes cómo hablar con ella sobre sus sentimientos.

En este caso, tanto la madre como la hija negaban lo que les estaba ocurriendo. La señora Marcus no podía afrontar un futuro lleno de enfermedad y penurias. Le resultaba doloroso afrontar la vida e igual de doloroso pensar en la muerte. Le aterrorizaba vivir porque en su familia nadie había vivido tanto tiempo. También temía a la dependencia y a la muerte porque recordaba muy bien cómo había empeorado y fallecido su marido. Como era incapaz de analizar y afrontar lo que le esperaba, la señora Marcus empezó a presentar síntomas físicos y emocionales.

La hija también tenía su propio sistema de negación. Marilyn no se daba cuenta de que su madre temía envejecer y enfermar. Para Marilyn su madre era eternamente joven. No podía imaginar que su madre, que era fuerte y activa, pudiese enfermar, necesitar ayuda o ¡morir! Por tanto, Marilyn culpaba a su madre por manipularla intencionadamente. Además, las exigencias de su carrera profesional absorbían todo su tiempo, y no quería hacer frente a las consecuencias de tener una madre dependiente.

La negación de Marilyn suprimió eficazmente el conflicto que podría haberse desencadenado si hubiese afrontado el problema de su madre. Marilyn estaba preocupada por las responsabilidades de su propio mundo, pero afrontar la dependencia y los miedos de su madre habría creado una situación para la que no estaba preparada. Percibía las necesidades de su madre, pero admitir abiertamente la situación supondría tener que hacer cosas que le resultarían difíciles.

La dinámica de la negación es la siguiente: «Es demasiado desagradable para hacerle frente» o «Si no veo un problema, éste no existe». Desafortunadamente, esta dinámica constituye una barrera para el análisis de la situación y para la elaboración de estrategias para responder a la misma. La historia de Marilyn y su madre ilustra lo que ocurre cuando los padres envejecen y los hijos no pueden afrontar los cambios. La mayoría de nosotros no queremos reconocer nuestro temor al cambio, ya estemos creciendo, independizándonos o envejeciendo.

Marilyn y su madre necesitaban ayuda. Aunque no siempre es necesaria la ayuda de un terapeuta, en su situación es probable que el conflicto se hubiera intensificado sin la ayuda de un profesional. La angustia de la madre y de la hija podría haber aumentado mucho, dificultando aún más la comunicación. Incluso es posible que los problemas de la señora Marcus hubiesen tomado la forma de problemas «médicos» en un esfuerzo para conseguir atención. También podría haber empezado a sentir hostilidad o depresión al creer que Marilyn no la atendía lo suficiente. Los problemas de salud pueden ser el resultado de un mal afrontamiento del estrés.

La negación: una respuesta natural

Afrontar los cambios es difícil a cualquier edad, y ni Marilyn ni su madre lo estaban haciendo bien. Aunque los padres y los hijos viven los acontecimientos de forma distinta, el fantasma de la dependencia y la muerte es terrorífico para ambos. Cuando ni los padres ni los hijos son capaces de afrontar el hecho de que sus vidas han cambiado de forma significativa, pueden surgir problemas importantes. Con frecuencia es doloroso afrontar los problemas y las penas que surgen a lo largo de la vida, pero puede resultar igual de duro afrontar las pérdidas, la enfermedad, la dependencia o el propio envejecimiento. Es necesario comprender esto para superar la negación. Sin embargo, no es raro que los ancianos y los que les cuidan se dejen arrastrar por la negación, negándose a aceptar la debilidad, la incapacidad y la necesidad de ayuda.

Las personas mayores están menos preocupadas por la muerte que los más jóvenes, pero temen más la dependencia y la incapacidad. A pesar de todo, la muerte, especialmente la muerte repentina, puede ser una conmoción dolorosa para amigos y parientes de cualquier edad. La trágica muerte accidental de Bertha, Art

Johnson y sus hijos, una familia muy conocida por la señora Marcus, le causó un gran impacto e hizo que sintiera más angustia. Transcurrieron varias sesiones antes de que la señora Marcus le dijera en confianza al asistente social:

> El primer domingo que acudí a la iglesia después de la operación, ocurrió algo horrible. Al final del servicio el pastor anunció que Art, Bertha y sus dos hijos habían muerto en un accidente de tráfico. En vez de hacer cola para darle la mano al sacerdote, la gente se marchó apresuradamente.
>
> Quería correr, pero no sabía adónde ir. Necesitaba huir de mis sentimientos. Salí de la iglesia aturdida... Sentí deseos de decirle al reverendo que debía estar equivocado, que no podían estar muertos. Se suponía que los Johnson vendrían esa tarde a mi casa.
>
> Recuerdo que traté de llamar a Marilyn en cuanto llegué a casa, pero no contestaba. Estaba ofuscada y continué llamando una y otra vez durante horas.
>
> Cuando finalmente Marilyn contestó esa noche, hablé de forma incoherente. Era como una pesadilla. Pensé que despertaría y todo sería igual otra vez.

La reacción a la noticia del fatal accidente de los Johnson era la clave para comprender las llamadas constantes de la señora Marcus. La muerte inesperada conmociona a los supervivientes, porque éstos no tienen la oportunidad de prepararse para la muerte. La repentina muerte de cuatro personas que conocía bien se unió a su preocupación por estar enferma y vivir sola, y le causó un dolor intenso que la hizo enfermar.

Cuando el duelo es prolongado, pueden surgir síntomas físicos y afectivos, y es necesario pedir ayuda para superar el dolor. Su pesar era tan profundo que la señora Marcus lo negó y no lloró. El dolor era abrumador y estaba desorientada. Al ser incapaz de expresar su aflicción o afrontar sus temores, recurrió a la conducta protectora de llamar por teléfono a Marilyn, pero las llamadas eran tan frecuentes que ofendían a la misma persona cuyo apoyo buscaba.

Como era incapaz de afrontar sus emociones, la señora Marcus se convenció de que necesitaba aferrarse a Marilyn y tenerla cerca. Inconscientemente estableció un imperativo: «¡Estaré en contacto con Marilyn para que cuide de mí!». Además, la señora

Marcus también temía que Marilyn pudiese morir, como le había ocurrido a Bertha. Llamaba constantemente a Marilyn pidiéndole que la visitase porque mientras Marilyn estuviese con ella no podría pasarle nada. De igual forma, si Marilyn estaba siempre disponible, podría ayudarla si la señora Marcus la necesitaba. Cuando la señora Marcus no podía hablar con su hija, le entraba pánico y aumentaban las llamadas telefónicas.

Las sesiones de terapia ayudaron a la madre y a la hija a comprender que su comunicación estaba deteriorada. La relación mejoró cuando Marilyn entendió los temores y la necesidad de contacto cercano de su madre, y la señora Marcus reconoció que estaba manejando la ansiedad de manera inapropiada. Marilyn describió sus descubrimientos:

> Sé que mamá casi «enloqueció» de pena y temor. Me siento fatal por no haberme dado cuenta de lo que le ocurría. Estaba tan enfadada por sus llamadas telefónicas, sus exigencias infantiles y sus críticas, que todo lo que podía hacer era no gritarle. Quería ignorarla y estar lo más lejos posible. Supongo que ella se dio cuenta y eso empeoró las cosas.
>
> Cuando pasó la insensibilidad sentí una ira abrumadora. Estaba enfadada con ella por no contarme sus verdaderas preocupaciones. Estaba enfadada con Bertha por haber muerto y enfadada conmigo misma por estar enfadada.

A diferencia de su madre, Marilyn había sido capaz de llorar por la familia Johnson. No le fue fácil experimentar la ira y la tristeza, pero el dolor psicológico disminuyó gradualmente a medida que se permitió pensar en la pérdida y hablar de ella con otros. En contraste, la señora Marcus había desarrollado problemas precisamente porque se aferraba a la negación.

El asistente social ayudó a la señora Marcus a analizar su negación pidiéndole que realizase varias actividades para afrontar el dolor. La primera tarea fue visitar la tumba de la familia Johnson con una grabadora y algunos de sus recuerdos y fotografías favoritas. Marilyn describe lo que ocurrió ese día:

> Mamá y yo rodeamos el cementerio al menos diez veces antes de entrar y encontrar un sitio dónde aparcar. Realmente ninguna

de nosotras quería hacer aquello. Ella pensaba que era estúpido, y la verdad es que las dos estábamos nerviosas, incluso un poco asustadas. Cuando encontramos las tumbas, yo ya estaba llorando.

Tuve que alejarme para controlarme, pero mamá organizó las cosas. Había traído uno de los pañuelos de Bertha y lo ató alrededor de la lápida, sacó dos sillas plegables y se sentó con la grabadora en su regazo.

Había escrito varias cartas a Bertha y las había grabado. Me senté junto a mamá. Puso en marcha la grabadora y ésta habló: «Bertha, tengo que decirte tantas cosas... Te escribí una larga carta y la grabé en esta grabadora. Quería que la escuchases —y sentí que teníamos que escucharla juntas. "Querida Bertha, quiero decirte adiós..."».

Más tarde la señora Marcus habló sobre lo que ocurrió en el cementerio:

Mi autocontrol se hizo pedazos cuando dije la palabra «adiós» mientras escuchaba las cintas y miraba la tumba.

Me sentía muy cerca de Bertha, y en esa cercanía, sentí mi propia muerte. Supe que lo que le había pasado a ella podía ocurrirme a mí y sentí un miedo oscuro y frío.

Con el temor vino la ira, un inmenso dolor, un deseo de gritar al viento y una gran tristeza. Y grité. Sentí que me quitaba un gran peso de encima.

La señora Marcus había comenzado a expresar el dolor. El encuentro en el cementerio, que al principio le había parecido una tontería, permitió que la señora Marcus llorase con su hija por primera vez. Conduciendo hacia casa hablaron de muchas cosas. Ambas se dieron cuenta de que eran supervivientes. No sólo se necesitaban la una a la otra, necesitaban comprenderse mejor para seguir adelante.

Encontrar sentido a la vejez

El repaso a la vida o reminiscencia es una estrategia muy útil para analizar la negación. La señora Marcus comenzó a curarse cuando fue capaz de hablar sobre la muerte y sentirla:

Mirar la tumba de Bertha me hizo sentir una mezcla de emociones (dolor, ira, tristeza) y —duele decir esto— ¡felicidad por no estar muerta!

También me sentí culpable por alegrarme de estar viva, de ser una superviviente. Sabía que tenía que continuar viviendo, pero tenía miedo. ¿Qué iba a hacer? Era vieja... Tenía que seguir adelante, pero ¿para qué?

En la siguiente visita al asistente social, la señora Marcus empezó a analizar lo que significaba hacerse vieja. Estaba preparada para descubrirse a sí misma y aprender a afrontar los cambios en su vida. El asistente social pidió a la señora Marcus que recordase las etapas importantes de su vida. ¿Cuáles eran sus primeros recuerdos? ¿Cómo era ella cuando era joven? ¿Cómo describiría su matrimonio? ¿Cómo era su trabajo? ¿Cómo fue la educación de sus hijos? ¿Qué personas habían influido más en su vida?

El siguiente diálogo muestra cómo se veía la señora Marcus a sí misma. (Las preguntas del asistente social están en cursiva.)

¿Cuál es tu primer recuerdo?

Creo que puedo recordar dos, como el autor Reynolds Price, que escribió sobre sus primeros recuerdos como tributo a sus padres. Estaba tumbado sobre una manta y recordaba a la cabra ¡tratando de comer sus pañales! Mi historia no tiene cabra, pero yo estaba en una bañera de agua jabonosa con nuestro perro. Quizá no sea real. Quizá sea un sueño, pero recuerdo a mamá sacándome del agua y abrazándome.

¿Eres como tu madre?

¡No! Ella era única. Nadie puede ser tan cariñoso y generoso.

Pero, ¿no hay nada que compartas con ella?

Bueno, quizá me parezco un poco a ella. Intento ayudar a todos.

¿Fuiste una buena madre?

Creo que sí. Sé que lo he intentado. Deberías preguntárselo a Marilyn.

¿Te sientes diferente ahora respecto a etapas anteriores de tu vida?

Interiormente soy la misma persona. Mi cuerpo está viejo y arrugado, pero mi yo real es el de la niña de seis años a la que le gustaba ir a la escuela, el de la joven de veinte años que se enamoró y el de la mujer de treinta años que dejó la enseñanza para cuidar de su familia. He dedicado la mayor parte de mi vida a mi familia.

¿Qué quieres decir con que eres la misma persona?

Mi hogar y mi familia eran mi mundo... Siempre he creído que debía hacer cosas para que todos se sintiesen a gusto: mi marido, mis hijos, mis padres, mis amigos, incluso los perros y gatos extraviados. Todos necesitan que alguien cuide de ellos, y a mí me gusta cuidar de las cosas.

¿Qué ha sido lo más difícil de envejecer?

Perder a todos... El dolor de ver a la gente enfermar y morir... No tener nada que hacer... Ver mi cuerpo envejecer.

¿Cómo te sientes ahora?

Me siento vacía. No parece que tenga 79 años. No siento la edad. Soy la misma persona de siempre. Lo único que ha cambiado es que ahora no tengo ningún objetivo en mi vida.

La señora Marcus se describió a sí misma como «eternamente joven». A pesar de los evidentes cambios físicos de su avanzada edad, la percepción de sí misma era constante. Sharon Kaufman ha descrito este sentimiento de un «yo sin edad» como una percepción universal. La señora Marcus siempre había tenido un sentido de identidad claro como persona que cuidaba de los demás, y la mayor parte de sus comentarios se referían a su papel de madre.

Reflexionando sobre el pasado, la señora Marcus dijo que su madre era la persona que más había influido en su vida:

> Desearía que todas las personas del mundo fuesen tan amables y dulces como mi madre. Recuerdo lo mucho que trabajaba cuando yo era una niña. Lavaba ropa, y lo hacía a mano. Arreglaba ropa y hacía preciosos vestidos con el material que la gente le traía. Cocinaba y hacía el pan para nuestra familia, y traía comida para nuestros vecinos, que eran muy pobres.
>
> Mi madre siempre me hizo sentir segura y feliz. Siempre estaba dispuesta a ayudarme. Le gustaba ayudar a todos.

«Ayudar» era algo importante para la señora Marcus. A medida que hablaba quedaba claro que la relación con su madre y el ayudar a los demás habían sido las fuerzas impulsoras de su vida, pero a la edad de 79 años se vislumbraba una gran crisis: qué hacer el resto de su vida y qué hacer por los demás. Su hijo mayor era un importante abogado y el menor un actor humilde pero feliz que trabajaba en Nueva York. Marilyn tenía éxito en los negocios y era una buena madre. Bertha, Art y los chicos habían muerto. Nadie la necesitaba ya. Su vida no tenía sentido. ¿Qué debía hacer?

El asistente social le propuso una forma de encontrar la respuesta a esta pregunta. Pidió a Marilyn y a su madre que participasen en un ejercicio que les ayudaría a comprender cómo percibía cada una el mundo de la otra. En este ejercicio denominado «el interrogatorio de la silla vacía» una persona pregunta a otra una serie de cosas y después contesta a las preguntas como cree que lo haría la otra persona.

Las preguntas que el asistente social le dio a Marilyn eran duras. Cuando eras joven, ¿pensabas en cómo sería envejecer? ¿Qué es lo más difícil de envejecer? ¿Qué es lo mejor? ¿Piensas en el futuro? ¿Tienes algún plan? ¿A qué aspiras ahora? Al principio Marilyn se negó a realizar el ejercicio, afirmando que era su madre la que tenía el problema, y que además el ejercicio parecía una tontería:

> El envejecimiento es una pesadilla para mí. Veo lo que le ha pasado a mamá, y ella es la persona más fuerte que he conocido. Si ella tiene problemas, ¡que Dios me ayude cuando yo envejezca!
>
> No quiero hacerme vieja. Por eso no creo que pueda hacer lo que me pides. No quiero conocer las respuestas.
>
> En el cementerio vi la muerte frente a mí, y supe que mamá moriría algún día. Yo soy la siguiente. No quiero que ella muera y no quiero morir, pero sobre todo no quiero envejecer y sentirme débil.

El asistente social comentó a Marilyn que entendía lo que decía, pero insistió en que debía participar. Su madre estaba recuperando la salud, pero necesitaba comunicarse con la única persona que podía ayudarla —su hija— y este ejercicio era una forma de mejorar su comunicación. El asistente social recalcó que el vínculo madre-hija era esencial para promover un mejor entendimiento entre las dos. El ejercicio sería doloroso, pero después del dolor vendría la esperanza.

Finalmente Marilyn accedió a participar en la sesión de la silla vacía. Se sentó frente a una silla vacía, con su madre y el asistente social sentados detrás de ella. Ella leía cada pregunta en voz alta y después respondía como creía que lo haría su madre.

P: Cuando te casaste con papá, ¿hablasteis alguna vez sobre cómo sería envejecer juntos?

R: Sí. Creíamos que estábamos destinados a amarnos siempre. Envejeceríamos, pero eso parecía irreal en aquel momento. Teníamos mucho tiempo por delante. Tú naciste un año después y luego llegaron tus hermanos.

P: Aparte de estar con papá, ¿pensaste alguna vez en cómo sería tener 70 u 80 años?

R: No. Mirando atrás pienso que viví mi vida. No teníamos mucho, pero nos las arreglábamos. Nunca quise que vosotros sintierais que no teníais lo que necesitabais. Supongo que estaba demasiado ocupada tratando de hacer que todos os sintierais a gusto y felices como para pensar en ser una anciana. Ahora soy una anciana sin nada que hacer.

P: Cuando tenías 50 años, ¿pensaste que llegarías a ser una anciana?

A: ¡Demonios, sí! Fue un cumpleaños duro. Tenía la menopausia y pensaba que mi vida se acababa. Mi tiempo se había acabado. No podía tener más hijos, y vosotros estabais ocupados con vuestras vidas. No me sentía bien. Supongo que consideraba que el envejecimiento era un camino hacia el olvido.

P: ¿Qué ha sido lo más duro de envejecer?

R: Perder mi papel de madre, perder a tu padre, perder a mi padre y sobre todo perder a mi madre.

P: ¿Qué ha sido lo mejor de envejecer?

R: Realmente no lo sé. Probablemente vivir con mi familia. Es una pregunta difícil de responder. Ahora mismo no veo nada bueno en envejecer.

Cuando Marilyn terminó con la serie de preguntas y respuestas, le tocó el turno a su madre. El asistente social le pidió que se sentase frente a la silla vacía. La señora Marcus estaba nerviosa y comenzó a leer en voz alta la lista de preguntas que el asistente social le había dado.

P: ¿En qué crees que nos parecemos?

R: Creo que somos muy parecidas. Las dos somos tercas y queremos hacer las cosas a nuestra manera. Nos resulta más fácil ayudar a los demás que a nosotras mismas.

P: ¿En qué crees que nos diferenciamos?

R: Es difícil responder a esa pregunta. Quizá la mayor diferencia entre nosotras es que yo soy más extravertida. Disfruto saliendo y estando con otras personas.

P: ¿En qué crees que te pareces a tu padre?

R: Tengo el temperamento de papá y su necesidad de atender a cada detalle. Siempre tenía que hacer las cosas de un modo determinado. Tenía que planificar cuidadosamente cada aspecto de una reunión, viaje o proyecto.

P: ¿Crees que afrontarás la vejez mejor de lo que yo lo he hecho hasta ahora?

R: No lo sé. No lo sé, pero tengo miedo.

P: ¿Puedes imaginarte a ti misma con 70 u 80 años?

R: No. Te miro y pienso que podría ser como tú, pero no puedo imaginarme a mí misma tan vieja. Ni siquiera puedo imaginarme con 50 años. No estoy segura de querer hacerlo.

P: ¿Has pensado en la muerte?

R: Sí, especialmente desde que Bertha, Art y sus hijos murieron. Incluso he pensado en tu muerte. Algún día ocurrirá. No quiero que ocurra, pero ocurrirá. Tengo miedo de perderte.

P: ¿Qué harás después de que yo muera?

R: No quiero hablar de tu muerte. Es demasiado angustioso. No estoy preparada para que mueras, pero cuando ocurra espero poder seguir adelante y que estés orgullosa de mí. Te mantendré viva dentro de mí. Me has dado tanto de ti misma que...

La señora Marcus interrumpió el ejercicio cuando vio a su hija llorando, y dijo:

Marilyn, tú estás en la flor de la vida, llena de planes para el futuro. A mí me queda poco tiempo, pero puedo afrontar mi vida de nuevo. Tú le das sentido a mi vida y a vivir, así como a la muerte y a morir. No estoy preparada para morir, pero puedo mirar a la muerte a la cara y continuar viviendo. ¡Quiero que tú también lo veas!

La señora Marcus y Marilyn continuaron trabajando con el

asistente social durante varias sesiones para centrarse en los planes para el futuro. La señora Marcus lo describió de esta manera:

> Nunca pensé que necesitaría ayuda, pero el asesoramiento funcionó. En aquel momento, mi vida y el respeto por mí misma eran como un jarrón hecho añicos. La terapia me ayudó a encontrar cada pieza y a descubrir qué modelo quería construir.

La señora Marcus y su hija empezaron a verse de una forma distinta a partir de esta experiencia, y comprendieron mejor lo que en realidad significaba envejecer. La experiencia de descubrir los pensamientos, expectativas y sentimientos de la otra hizo que fuesen más conscientes de su relación, que se comprendiesen mejor a sí mismas y que fuesen más independientes.

LAS EMOCIONES QUE SE OCULTAN DETRÁS DE LOS PROBLEMAS

Afrontar la negación significa sentir, comprender y expresar las emociones que están tras los problemas. Los hijos adultos y los padres que superen la negación serán capaces de comprender por qué ven el mundo de forma distinta. Albert Schweitzer escribió: «Existe un compañerismo entre los que soportan la huella del dolor». A los que no toman parte en esta experiencia les resulta difícil comprender lo que hay tras el dolor. Cuidar de los padres cuando están luchando contra una enfermedad crónica sin comprender lo que hay detrás de su miedo y su dolor puede impedir que identifiques la envergadura del problema y entiendas y afrontes las emociones, tanto las suyas como las tuyas.

Los padres ancianos reaccionan con diversas emociones ante lo que les ocurre. Cuando enferman, aunque haya claros indicios de que van a recuperarse, su miedo a empeorar, a no ser capaces de realizar las actividades de la vida cotidiana, y la necesidad de ayuda para el cuidado personal generan una gran ansiedad y preocupación por el futuro. La perspectiva de perder el control puede convertirse en un miedo dominante que cambia su forma de pensar sobre sí mismos. La ansiedad y el miedo que acompañan a la enfermedad crónica empiezan a formar parte de su identidad.

Muy a menudo el anciano enfermo siente ira, sobre todo cuando tiene dolores. Es frecuente que los ancianos se enfaden con los miembros de la familia y les acusen de no saber lo que significa estar enfermo. Las personas mayores son sometidas a procedimientos médicos con bastante frecuencia y durante el proceso se suelen enfadar con los médicos, las enfermeras y otros profesionales porque piensan que éstos se muestran indiferentes o insensibles ante su situación o no les han curado o cuidado lo suficiente.

Los ancianos también suelen experimentar una amplia gama de emociones cuando tienen que estar en la cama mientras el resto del mundo parece lleno de vida. Son comunes los sentimientos de indefensión y la perdida progresiva del control. Si el individuo no admite y afronta estos sentimientos adecuadamente, puede deprimirse y «darse por vencido» en la vida. El aburrimiento es otro sentimiento frecuente y cuando se asocia a la indefensión y a la ira puede conducir a la parálisis emocional, es decir, a la falta de deseo de marcarse metas e iniciar actividades nuevas, incluso cuando el individuo recupera las fuerzas. Aunque parezca extraño, la gente aprende a aburrirse, y esto refuerza su idea de que no vale la pena vivir si no hay nada que hacer excepto experimentar dolor y sufrimiento. El aislamiento, la fatiga, el dolor, la depresión y el aburrimiento distorsionan el proceso de pensamiento, haciendo difícil mantener conversaciones racionales con el enfermo.

Las personas enfermas están atrapadas en el dilema de querer estar solos y acompañados al mismo tiempo. Con frecuencia, este dilema refleja el conflicto entre desear independencia y ayuda. Estar solo ayuda a conservar la energía, y esto es muy importante cuando alguien está enfermo o siente un dolor extremo. Por otra parte, tratar de hablar, moverse, acercarse a alguien o sostener una conversación puede ser doloroso y consumir energía, pero es una forma de luchar contra el terror de la soledad.

Es muy habitual que los padres ancianos se quejen de que sus hijos no pasan suficiente tiempo con ellos. Esta queja es particularmente irritante cuando los hijos adultos les dedican mucho tiempo y hacen muchos sacrificios para ayudarles. Las quejas enérgicas y a veces airadas son consecuencia de la inhabilidad de la persona enferma para manejar el dilema de querer al mismo tiempo ayuda e independencia. Con frecuencia la situación se complica aún más por su inhabilidad para expresar lo que realmente quieren o necesitan. Las emociones agobiantes asociadas con la dependencia pueden crear fuertes miedos, y esto también influye en la habilidad para pensar con claridad. Aunque los hijos pueden ofrecer ayuda, puede que los padres no sean capaces de «ver» esa proposición porque sus emociones les impiden darse cuenta de lo que está sucediendo.

A veces estos conflictos empeoran cuando un hijo que vive a cientos o miles de kilómetros de distancia hace una breve visita a sus padres, escucha sus quejas, las acepta como ciertas y después acusa de negligencia y crueldad al hermano que ha estado proporcionando la mayoría de los cuidados necesarios. El hermano que se ha estado ocupando de los padres, que les ha visitado todos los días y ha atendido a muchas emergencias, reales e imaginarias, de pronto se convierte en el villano que es acusado por un hermano o hermana cuya implicación personal en el problema se limita a una llamada telefónica semanal, una visita ocasional y flores el día de la madre o del padre.

Algunos ancianos reaccionan de forma distinta a la dependencia. Se alejan de la familia para no ser una carga y para protegerse a sí mismos y a sus hijos de los sentimientos dolorosos y de la ansiedad. Pero generalmente este comportamiento tiene el efecto contrario: aumenta el aislamiento e impide tener discusiones honestas para entenderse, y éstos son factores esenciales para saber cómo devolver la dignidad y proporcionar los cuidados con una calidad de vida aceptable.

Quizá lo que más temen los ancianos es tener que depender de otros durante mucho tiempo. La mayoría de los ancianos experimentan los cambios en su salud y en sus circunstancias como algo personal, y piensan en el futuro en función de su realidad y de los recursos de que disponen. Para muchos, el deseo de independencia y autoridad es imperioso, y les resulta difícil, si no imposible, adaptarse a una enfermedad con eficacia y calma. Esto ocurre en todas las etapas de la vida, pero en la vejez la percepción de la propia fuerza emocional y física puede tener mucha importancia. Esto no significa que los ancianos siempre piensen en términos de edad. Afrontan los problemas, cambios e incapacidades a medida que surgen, como han hecho durante toda su vida, pero interpretan estos problemas y cambios en función de lo que les ha ocurrido en el pasado. Es importante que los hijos comprendan cómo encaja un problema de salud en la opinión que los padres tienen de sí mismos y de su habilidad o inhabilidad para arreglárselas solos.

Necesitar que otros nos ayuden con las actividades cotidianas provoca fuertes sentimientos. Tener que depender de otra persona para vestirse, lavarse e ir al baño provoca vergüenza y con frecuencia hace que el anciano piense que ya no puede realizar estas actividades tan sencillas. Cada momento es un recordatorio de la propia incapacidad y para muchos es una vergüenza. Estos sentimientos, asociados a la incertidumbre respecto al futuro, crean ansiedad, que es percibida por la familia como quejas crónicas y enfrentamientos sobre sucesos triviales.

La mera observación de las incapacidades y cambios en tu cuerpo y mente es angustioso y disminuye tu autoestima. Es difícil sentirse bien cuando el cuerpo está pálido, hinchado, insensible e incómodo. Generalmente, cuando el individuo se siente mal con su cuerpo, piensa que es el culpable de estar enfermo, que ha fracasado y que podría haber hecho algo para evitar esos cambios, o que es incapaz y que es por eso por lo que está enfermo o incapacitado.

Aunque saber que las pruebas, procedimientos, medicamentos y terapias pueden ayudar, el sentimiento de que no estás informado o implicado en la toma de decisiones puede ser una fuente de ansiedad y hostilidad. Cuando los padres están enfermos física o mentalmente y es difícil implicarles en la toma de decisiones, la simple conciencia de no tener el control puede hacer que sientan angustia y frustración. Es habitual que el enfermo sienta resentimiento contra la gente que pone inyecciones, saca sangre, administra medicación o controla los signos vitales. Desde esta perspectiva, los hospitales, asilos, clínicas y otros servicios pueden ser lugares confusos, ritualistas, tecnológicos, hostiles y despreocupados.

Es normal que la visión del que cuida y del que es cuidado sea absolutamente diferente. La percepción de los padres puede no ser muy distinta de la de los pacientes hospitalarios que creen que son ignorados por las enfermeras, aunque éstas puedan probar que visitan a estos pacientes con mucha frecuencia. El mensaje es simple: El cuidado de un anciano dependiente, débil y emocionalmente perturbado puede deparar una sorprendente falta de reconocimiento por su parte. Con frecuencia éste es el producto final de la negación de los problemas, la ira por necesitar ayuda, el temor a la dependencia, la culpa y el deseo de librarse de las circunstancias que originan la dependencia.

Si quieres cuidar de tus padres eficazmente, debes superar las confrontaciones momentáneas y el impulso de dejar o evitar esos conflictos. Los hijos adultos necesitan hacer frente a sus propias emociones de forma madura y comprender y manejar las emociones de sus padres. Este tema se tratará en el siguiente capítulo.

3

Manejar las emociones

Generalmente las emociones están implicadas en el cuidado de los padres. Se parece a una montaña rusa, en la que las emociones positivas como la felicidad, el orgullo y la satisfacción se mezclan con emociones negativas como la ira, el miedo y la tristeza. Es normal que existan emociones negativas, pero si éstas son persistentes y agobiantes, pueden afectar de forma negativa a tu capacidad para cuidar de ti mismo y de tus padres.

Habrá momentos en los que te sentirás agobiado por muchos sentimientos distintos, y habrá períodos en que te sentirás insensible, fracasado o totalmente vacío. Esta insensibilidad e inercia junto con otra serie de emociones nublarán tu pensamiento, provocarán discusiones con otros e incluso te harán creer que eres incapaz de hacer algo bien. Todas estas emociones reducirán la eficacia con que cuidas de tus padres.

El estrés que implica el cuidado de tus padres es tan complejo que no sería sorprendente que sintieses emociones distintas y desconcertantes, incluidas las siguientes:

Ira y rabia.
Apatía y abandono.
Ansiedad.
Depresión o tristeza.
Desconcierto.
Impotencia y desesperanza.
Sentimientos de fracaso e incapacidad.
Sentimientos de inutilidad.
Frustración.

Aflicción y desesperación.
Culpabilidad y vergüenza.
Pánico.

También podrías experimentar malestar físico, por ejemplo:

Insomnio o sueño excesivo.
Problemas de estómago, apetito disminuido o incrementado.
Erupciones cutáneas.
Dolores de cabeza, dolores de espalda, problemas musculares.
Palpitaciones o taquicardia.
Dolor u opresión en el pecho.
Manos sudorosas.
Bruxismo (rechinar los dientes o apretar la mandíbula).
Dificultades para concentrarte.

Además, puede que niegues tu propio malestar físico. Muchas personas padecen una amplia variedad de problemas somáticos y no admiten que con frecuencia las reacciones emocionales ante la angustia aparecen como síntomas corporales.

Es esencial que encuentres formas constructivas de manejar tus reacciones emocionales, no sólo para pensar y actuar eficazmente con tus padres, sino para conservar tu propia salud física y mental. Nuestra investigación, al igual que las llevadas a cabo por otros, ha demostrado que la mitad de las personas que cuidan de sus padres padecen problemas graves de salud como resultado del estrés. Este capítulo describe una serie de estrategias positivas que puedes aplicar para comprender y manejar tus propias emociones, y ofrece algunos consejos para saber si necesitas ayuda profesional.

Las emociones son parte del pensamiento

Las emociones juegan un importante papel en el pensamiento. Influyen en tu atención, desviándola de lo que estás haciendo y centrándola en las exigencias que crea la experiencia emocional. La mayor parte de las emociones son reacciones naturales que obligan a las personas a fijarse en una serie de asuntos que les distraen de otros. Este cambio de atención puede provocar una reacción emocional por sí mismo. Por ejemplo, si no te puedes concentrar porque estás preocupado, entonces te preocuparás aún más porque no puedes concentrarte.

Las siguientes situaciones ilustran la influencia de las emociones:

> Tras la cita de tu padre con su médico esta mañana, hacéis los trámites para su ingreso en el hospital por la tarde para «hacer algunas pruebas». Tienes que cancelar una importante reunión de negocios para acompañarle, pero no puedes localizar a tus clientes para avisarles.
>
> Tu nuevo jefe te pide que te reúnas con él por la tarde para hablar sobre la productividad de tu departamento. Acabas de incorporarte al trabajo tras un permiso de dos semanas que has pasado cuidando de tu madre. Tu jefe se niega a darte más información hasta la reunión.
>
> Tu madre, que tiene 90 años de edad, te llama para decirte que acaba de tener un accidente de tráfico y que está en la comisaría de policía.
>
> Estás haciendo el equipaje para coger un avión para asistir a la graduación de tu hija. Es la primera de la clase y pronunciará uno de los discursos de la ceremonia. Tu padre te llama por teléfono y te dice que debes ir urgentemente a su casa porque tu madre ha tenido otro «infarto».

Cada una de estas situaciones es diferente, pero todas tienen algo en común: pueden ser interpretadas de distintas maneras, y la forma de interpretarlas determinará una respuesta emocional concreta. En la primera situación tú y tu padre podríais sentir alivio porque los exámenes médicos terminarán con la incertidumbre sobre la causa de los síntomas. Por otra parte, ambos podríais sentir angustia por la incomodidad de las pruebas y por la probabilidad de que el resultado sea negativo. La preocupación por tu padre, unida a la posibilidad de perder un contrato por haber cancelado la reunión, hacen que te sientas especialmente nervioso. En la segunda situación, la reunión con el nuevo supervisor puede ser positiva o negativa. Puede que tu jefe piense que no has sido muy productivo y la reunión sea desagradable. Por otra parte, puede que piense que has estado haciendo un gran trabajo y que desee que te encargues de otro gran proyecto.

En la tercera situación tu madre está desconcertada, confusa, y no sabe si será considerada responsable de los daños ocasionados. Estás angustiado y no sabes si el accidente ha sido grave o no. Empiezas a cuestionarte su habilidad para conducir y temes las molestias que te ocasionaría tener que llevarla en tu coche a todas partes.

En la cuarta situación puedes sentir ira hacia tus padres por crearte este problema. Te preguntas si el último ataque es un problema real o es un nuevo esfuerzo para llamar tu atención al saber que te vas de la ciudad. Este viaje es muy importante para ti porque la relación con tu hija ha sido tensa durante estos últimos años. Puedes no hacer caso a tu padre y coger el vuelo, pero, ¿y si algo grave le ocurriera a tu madre? Aunque no ocurra nada, ¿cuál será la reacción de tus padres al ver que no haces caso a su petición de ayuda?

Tus pensamientos sobre estos sucesos y las emociones que les acompañan son el resultado de tres procesos. En primer lugar, tu mente identifica, incorpora e interpreta un suceso y luego le da significado. Inmediatamente después llenas la falta de información con conjeturas e inferencias. Y por último, buscas activamente más información.

El primer proceso implica lo que denominamos etiquetado: dar significado a un suceso. Interpretas la necesidad de exámenes médicos como un indicio de que tu padre tiene un problema de salud grave. Interpretas que el accidente de tu madre significa que ya no es capaz de conducir. Etiquetas la llamada telefónica de tu padre como una nueva dramatización y manipulación por parte de tu madre. El proceso de etiquetado comienza inmediatamente, incluso antes de que tengas toda la información necesaria para hacer una valoración precisa. Además, de este proceso depende que sientas angustia o una emoción positiva respecto a los acontecimientos.

El segundo proceso comienza al mismo tiempo que el etiquetado. Realizas inferencias sobre lo que no sabes basándote en tus actitudes y opiniones, rellenando con ellas algunos vacíos en tu conocimiento. El tipo de inferencias que realizas está determinado por muchos factores distintos, incluyendo tu personalidad, tu opinión sobre otras personas y las propias circunstancias. Por ejemplo, si eres pesimista, la noticia de que tu jefe quiere reunirse contigo te hará suponer que no está contento con tu trabajo e incluso que quiere despedirte. Al conocer el accidente de tu madre podrías suponer que ella es la culpable porque sabes que tuvo un pequeño roce el mes pasado, cuando en realidad esta vez ella es la víctima. Cuando tu madre te llama desde la comisaría de policía, crees que está actuando para llamar tu atención.

El tercer proceso es la búsqueda de información. Es importante obtener más información, pero no siempre puedes conseguirla, y puede que eso empeore tu estado emocional. Puede que el médico no te dé los resultados de las pruebas en varios días, lo que hace que tengas más tiempo para preocuparte. Puede que tu jefe no quiera hablar sobre los temas de la reunión y pases varias horas de tensa especulación. Tu madre está tan perturbada por el accidente, aunque sólo tenga heridas leves, que no puede contarte lo sucedido por teléfono. Tienes que esperar hasta llegar a la comisaría de policía para saber lo que ha ocurrido. Mientras preguntas a tu padre por detalles específicos del infarto de tu madre, éste se enfada y cuelga. Calculas el tiempo que necesitarás para desviarte a visitarles camino del aeropuerto y llegar a tiempo para coger el vuelo.

Por tanto, tu forma de etiquetar los sucesos, tus actitudes y opiniones sobre el porqué de las cosas, y tu habilidad para obtener información son procesos que dependen de cómo interactúan tus pensamientos y emociones. Algunas emociones te dan energía para tomar decisiones y resolver los problemas fácilmente, mientras que otras te distraen o impiden que pienses y actúes eficazmente. Además, si estás enfadado y preocupado y no eres capaz de encontrar la información que necesitas, podrías sentir aún más ira y preocupación, lo que impediría que buscases esta información.

Cómo aclarar tus sentimientos

Los padres son figuras que suscitan emociones muy fuertes en sus hijos, y cuando necesitan ayuda, salen a la superficie muchos sentimientos. Hay una serie de factores que pueden influir en cómo nos sentimos mientras cuidamos de nuestros padres: nuestra opinión sobre el amor que recibimos o dejamos de recibir de nuestros padres cuando éramos niños, sobre cómo nos trataron en relación a nuestros hermanos y hermanas, sobre los sacrificios que hicieron o no hicieron por nosotros, así como nuestros recuerdos de innumerables incidentes críticos de nuestras vidas.

Los acontecimientos y sentimientos que hemos experimentado a lo largo de nuestra vida influyen en nuestros sentimientos y emociones actuales. No es raro que confundamos estos recuerdos del pasado con nuestros sentimientos y pensamientos sobre las circunstancias del presente. Sería extraño que no fuese así. El propósito de cuidar de nuestros padres no es ayudarnos a cambiar toda una historia de sentimientos hacia éstos y hacia otros familiares. Esto sería imposible. Lo que debes hacer es analizar tus emociones y comprender si están ayudándote o perjudicándote para poder manejarlas eficazmente.

Cuando los hijos adultos se ven obligados a cuidar de sus padres, la nueva dependencia es desagradable para todos y suscita una serie de emociones. Las reacciones de los que están implicados en este cambio de dependencia desencadenan una serie de acontecimientos que pueden o bien fortalecer a la familia o bien crear tensiones en la familia. Si la reacción que predomina a largo plazo es la negación, se bloqueará el proceso de adaptación sana. Como vimos en el capítulo anterior, con la señora Marcus y su hija Marilyn, la negación puede tener graves consecuencias.

La clave para comenzar a afrontar y a manejar las emociones es aclarar la confusión de tus pensamientos y sentimientos. «Aclarar» significa exactamente lo que parece. Muchos de nosotros analizamos nuestras emociones regularmente, y algunos lo hacemos mejor que otros. Utiliza la siguiente lista de estados emocionales como ejercicio para ayudarte a saber qué está sucediendo en tu corazón y en tu mente ahora mismo. Lee las siguientes afirmaciones, y señala las que describen tu situación actual. Este ejercicio requiere esfuerzo, pero puede ayudarte a que concretes tus emociones en vez de dejar que permanezcan como una sensación abstracta de angustia y frustración. Saber cuáles son tus sentimientos hace que sea más fácil expresarlos. Este ejercicio puede ser valioso aunque en este momento no estés en una situación angustiosa. Piensa en las ocasiones en las que te sientes angustiado por tus padres y lee la siguiente lista:

_______________ Me siento solo.
_______________ Estoy asustado.
_______________ Me siento culpable.
_______________ Me siento avergonzado.
_______________ Estoy confundido.
_______________ Me siento débil.
_______________ Estoy enfadado con los demás.
_______________ Estoy enfadado conmigo mismo.
_______________ Me siento frustrado.
_______________ Estoy triste.
_______________ Me siento inútil.
_______________ Me siento impotente.
_______________ Me siento mal.
_______________ Estoy angustiado.
_______________ Siento compasión por mí mismo.
_______________ Me siento desasosegado.
_______________ Me siento atontado.
_______________ Estoy deprimido.
_______________ Siento pánico.
_______________ Estoy furioso.

Después de marcar tus sentimientos coge un papel y escribe varias frases sobre cada una de las emociones que has elegido. Por ejemplo, si has marcado «Me siento angustiado», podrías escribir:

Me siento angustiado cada vez que mamá me llama.
Me siento angustiado cuando la llevo al médico.
Me siento angustiada cuando mi marido me critica por ir a casa de mi madre todos los días.
Me siento angustiado cada vez que me llama mi jefe.

Identificar las situaciones que provocan tu respuesta emocional hará que dejes de sentirte confuso y comprendas de una forma más concreta y específica lo que te irrita y lo que te molesta. Después puedes empezar a hacer algo respecto a tus emociones. Hay una serie de cosas que puedes hacer después de haber identificado tus emociones. Puedes hablar con alguien para que te ayude a aclarar tus sentimientos y pensamientos, permitir que los sentimientos existan o encontrar formas de manejarlos. Haz ejercicio y saca tiempo para ti mismo. Puedes escribir sobre tus emociones. Incluso en las situaciones más dolorosas puede ser útil escribir un diario. Éste también puede resultar útil para otras personas que tratan de ayudaros a ti y a tus padres.

La historia de Al Pruitt y su madre nos cuenta cómo éste utilizó un diario y las reuniones con su familia y con el personal del asilo para afrontar una de las decisiones más dolorosas que puede tomar un hijo adulto: ingresar a un padre en un asilo. Una tarde Al comenzó a escribir su diario tras una pelea con su hermana mayor, que opinaba que al ingresar a su madre en un asilo la estaban abandonando. Al no podía moverse porque se había torcido un tobillo jugando al fútbol esa misma mañana. Estaba tan disgustado por la discusión que necesitaba hacer algo para descargar su ira. Como era columnista en un periódico, decidió escribir una historia, volcando sus pensamientos y emociones en el papel.

Al empezó a escribir un diario, y lo hizo durante todo el año que su madre estuvo enferma. Anotar sus pensamientos le ayudaba a luchar contra la angustia que sentía al ver cómo empeoraba su madre. En poco tiempo escribir el diario se convirtió en una rutina sin la cual no podía terminar el día. Escribir todos los días era una forma de prever las tareas que implicaba el cuidado de su madre y elaborar un plan.

> Escribir este diario ha funcionado bien... Escribir cada día, incluso a medida que Nana empeora... es un pequeño objetivo, pero es un desafío mayor de lo que nunca hubiese imaginado. Escribir ha sido una forma de terapia. Me pregunto cómo escaparán otros de la locura de esta situación.
>
> Hoy llevamos a mamá al asilo. Pienso que podríamos haber esperado una semana más, pero creo que estamos todos preparados... Es muy triste. Hoy es su cumpleaños.

Ver a Nana apagarse estaba destrozando a la familia de Al. Nana había vivido con los Pruitt desde que había enviudado hacía ocho años. La mayor parte de estos años habían sido buenos. La madre de Al había disfrutado de sus hijos, nietos y biznietos, y había disfrutado de la docencia ejerciendo como sustituta. Era aficionada a la escritura y a la pintura. Tenía talento y trabajó como voluntaria en la escuela hasta que se rompió la cadera al resbalar en una acera helada. Cuando se estaba recuperando de la operación sufrió lo que pareció ser una trombosis, que la dejó parcialmente paralizada. La decisión de ingresar a Nana en un asilo fue dolorosa, pero después de muchas discusiones familiares resultó ser la mejor y la única alternativa.

La transición fue más fácil de lo que todos habían pensado. Después de acomodar a Nana en su habitación celebraron su cumpleaños, invitando al personal a compartir la tarta y el café con ellos. Después de dejar a su madre, Al se reunió con el personal por primera vez. Quería que comprendiesen cómo había sido su madre a lo largo de su vida y lo que significaba para ella estar gravemente enferma, cosa que ella describía como «ir cuesta bajo». Él les dejó su diario para que lo leyesen, les llevó fotografías del álbum familiar y les contó historias sobre ella. Hizo que el personal se relacionase con una persona real en vez de con una anciana que necesitaba cuidados técnicos.

¿Qué ocurre cuando las relaciones no son afectuosas?

No todo el mundo tiene una relación tierna y afectuosa con sus padres y con el resto de la familia. Las reacciones que aparecen cuando los padres necesitan ayuda pueden desencadenar un fuerte rechazo, como «Se merecen lo que les está ocurriendo», o «Nunca me ayudó, ¿por qué debo hacerlo yo?», o «Siempre ha sido avaro y egoísta. Incluso cuando le ayudaba, no lo apreciaba, entonces, ¿por qué debo preocuparme?». Otras respuestas podrían ser: «Ayudaré, pero no porque quiera a mi suegro, sino porque amo a mi mujer» o «Al menos se merece un asilo decente. La ingresaremos y lo dejaremos así».

En algunos casos un hijo ama a uno de sus padres y rechaza al otro, creando así un alto grado de tensión y confusión porque las lealtades y emociones se entrelazan y enredan.

Fred Andrews era un ejecutivo que había tenido mucho éxito. Aparecía en artículos en revistas de negocios, donde se le describía como una de las estrellas nacientes en su campo. Sin embargo, era un hombre infeliz que no podía soportar a su padre. Al mismo tiempo, amaba a su madre y se preocupaba por ella. Le resultaba imposible responder personalmente a las necesidades de su padre, que estaba débil y enfermo. Consideraba que la ayuda psicológica era una «tontería infantil innecesaria» y afirmaba que al enviar dinero a su madre atendía las necesidades de su padre. Pero después su madre se convirtió en un problema. Estaba muy preocupada y dividida entre su hijo y su marido. Cuando el señor Andrews preguntaba: «¿Por qué no llama nunca Fred? Cuando llama cuelgas antes de que pueda hablar con él», ella no podía decirle simplemente que Fred no quería hablar con él. La negativa de Fred a hablar con su padre era útil para él, pero era muy perjudicial para sus padres.

Es importante que identifiquemos y aceptemos cualquier sentimiento negativo hacia nuestros padres antes de empezar a tomar decisiones sobre lo que debemos o podemos hacer por ellos. El objetivo no es analizar las limitaciones y fracasos del amor que nos dieron nuestros padres. No siempre se puede reconciliar a la familia cuando las relaciones han sido amargas. Puede ser comprensible que algunos hijos no se sientan obligados a cuidar de sus padres ancianos. La ira o el desprecio son cargas difíciles de llevar, pero estos sentimientos negativos son reales y pueden ser definitivos.

En estas situaciones tienes al menos tres opciones: no atender las necesidades de tus padres, encontrar a otro para que les cuide, o aceptar tus emociones y hacer lo que es necesario manteniendo al mismo tiempo cierta distancia emocional. Cuando las relaciones familiares han sido hostiles o enemistosas, las exigencias que supone responder a una enfermedad crónica y a la muerte hacen que el cuidado de los padres sea difícil, si no imposible. Si tus sentimientos son negativos y dispones de recursos, deberías buscar a otra persona para que ayudara a tus padres. De esta forma haces frente a la situación y mantienes la distancia emocional necesaria. Aunque odies a tus padres deberías discutir detenidamente con amigos cercanos, con otros miembros de la familia o con el sacerdote la decisión de desatender sus necesidades. La ira es una emoción fuerte, pero la culpabilidad por haber perdido la oportunidad de reconciliarte con tus padres antes de su muerte puede ser demasiado dolorosa como para vivir con ella el resto de tu vida.

Gianna Riccardo fue abandonada por sus padres. Su padre dejó a su madre cuando Gianna tenía sólo tres años, y su madre la internó en un colegio cuando tenía ocho años, se casó de nuevo y se trasladó a otra ciudad. Gianna recordaba que su madre y su padrastro la habían visitado en dos ocasiones: la primera cuando estaba en el hospital con neumonía a los diez años y los médicos pensaban que podía morir y la segunda para hacer los trámites para que estudiase en el extranjero. Aparte de unas breves visitas en Navidades, la última vez que Gianna vio a su madre fue en su funeral. Ella recuerda:

> Me alegro de que mi madre muriese rápidamente. No creo que hubiese podido cuidarla. Ella era mi madre, pero no era realmente una madre.
>
> He vivido sin padre y sin madre... Es triste, pero haber sido abandonada me ha torturado desde que tengo uso de razón. Antes tenía un gran deseo de venganza, pero ahora ya no.
>
> Aún quedan cicatrices, pero he aprendido a no abrirlas, a dejarlas en paz.

Aunque Gianna nunca tuvo que cuidar de sus padres, admitió que el abandono de sus padres la había afectado mucho y habló sobre ello con su marido. Si tu relación con tus padres ha sido negativa y éstos necesitan ayuda, es esencial que busques a alguien en quien confíes para ayudarte a encontrar la respuesta apropiada.

La lealtad: una emoción fundamental para la familia

Cuidar de los padres cuando envejecen es una oportunidad para que los hijos adultos expresen lealtad o deslealtad. Los hijos pueden expresar su gratitud siendo amables, cariñosos y compasivos con sus padres. Por otra parte, el envejecimiento de los padres es también una oportunidad para «vengarse» o para desquitarse por años de trato injusto o abandono. En este último caso el pago no suele ser ni directo ni claro. Una persona pasivo-agresiva puede encontrar excusas aparentemente válidas para no cumplir con sus obligaciones. De esta manera alivia su culpa y al mismo tiempo se las arregla para expresar su enfado. Un hijo que ha sido rechazado por sus padres puede actuar rechazando a su propia familia, y después hacer todo lo posible para cuidar a unos padres que siempre fueron fríos y distantes. Este comportamiento puede parecer paradójico, pero es un intento de compensar los años de ira no expresada y la culpabilidad que se siente a medida que se hacen realidad deseos viejos y odiosos.

La lealtad es un concepto importante en el cuidado. El terapeuta de familia Ivan Borzynmenyi-Nagy ha descrito la lealtad como «los lazos invisibles pero fuertes» que mantienen unida a la familia.[4] La lealtad es más que un sentimiento de unión emocional entre individuos. La palabra francesa *loi* relacionada con nuestra palabra *lealtad* significa «ley», y la lealtad implica acciones y opiniones sobre «hacer lo correcto» conformes con la ley. Lo que ocurre en la vida familiar a lo largo de los años refleja la habilidad de cada uno para equilibrar las lealtades que vinculan a unos con otros. Vivir juntos y compartir acontecimientos familiares —matrimonios, divorcios, nacimientos, cambios de trabajo, jubilación, enfermedades, accidentes— fragua un vínculo de emociones y recuerdos que los extraños pueden reconocer pero nunca compartir completamente. Cada generación y cada familia desarrolla su propio tejido de experiencias, y esta historia, que existe en el recuerdo y la emoción, es única para los miembros de la familia.

En muchas familias la autoridad para la toma de decisiones está claramente definida y recae en los padres. En estos casos, la discusión se limita a pedir consejo o a darlo, pero hay poco consenso en la toma de decisiones. Lo que generalmente ocurre en estas familias es que a medida que los padres envejecen comienza a surgir la confusión o el conflicto sobre la responsabilidad y la autoridad. La ambigüedad aumenta cuando la persona que toma las decisiones está impedida, y la dinámica familiar juega un papel importante en el nuevo equilibrio. Con frecuencia los

4. Borzynmenyi-Nagy, Ivan y Spark, Geraldine M., *Invisible Loyalties: Reprocity in Intergenerational Familiy Therapy*, Maryland, Hagerstown, Harper & Row, 1973 (RC 488.5 B65 1973 FMHI).

hijos se ven atrapados en este proceso justo cuando necesitan su energía para afrontar los retos que supone el proporcionar cuidados a sus padres.

Cada familia establece una serie de reglas no escritas por las cuales los miembros de la familia se relacionan unos con otros y muestran lealtad. Algunas familias están muy unidas y cada miembro está profundamente implicado con los demás. En otras familias los miembros son indiferentes entre sí, y algunas familias son peleonas y combativas. Las lealtades familiares se expresan de forma distinta en cada uno de estos grupos, y por tanto no existen recetas fáciles para lograr el bienestar emocional a medida que las familias envejecen y los padres necesitan ayuda. El concepto de lealtad familiar y la idea implícita de que debería ser posible equilibrar las relaciones entre los miembros de la familia pueden no ser realistas en todos los casos, sobre todo en aquellas familias en que la hostilidad y las conductas destructivas han sido la norma.

Cuando una familia está atendiendo a las necesidades o deseos de un miembro de la misma, puede que no esté atendiendo a las necesidades de otro miembro de la familia que piensa que sus necesidades son más importantes. Cuando esto ocurre es necesario afrontar las reacciones emocionales que pueden surgir. Anticipa esos problemas y piensa en las reacciones más apropiadas. El conflicto puede ser una forma saludable de alcanzar una solución, pero sólo si hay reglas. En ocasiones es necesaria la participación de un árbitro para mediar en estos conflictos y asegurar que la «pelea» sea justa. Las discusiones abiertas y los debates pueden clarificar el valor de la idea de una persona respecto a la de otra y cambiar ligeramente las ideas de ambas personas para adaptarse a las circunstancias cambiantes. El secreto es permitir que los sentimientos surjan sin salirse de unos límites. Si las reacciones emocionales leves se reprimen y no se expresan, se convierten en dinamita para una ocasión posterior, cuando un asunto aparentemente sin importancia rompe el dique y un torrente de sentimientos incontrolados, previamente no expresados, cae sobre todos los implicados. Éste es el tipo de estallido emocional que se ha de prevenir no permitiendo que problemas pequeños se acumulen hasta un nivel incontrolable.

Hasta cierto punto, la forma en que los hijos adultos responden a las necesidades de sus padres depende de un balance no escrito de acciones leales y no leales acumuladas a lo largo del tiempo. Esta contabilidad metafórica refleja un proceso invisible del que raramente se habla. Se refiere al intercambio de amor y apoyo así como de bienes y servicios a lo largo de los años. El balance no es una simple tarjeta de tanteo en la que se apuntan los regalos, el tiempo invertido y los premios y castigos impuestos. Las acciones humanas no son fáciles de cuadrar, pero todos recordamos quién hizo qué, cuándo y para quién, y esto influye en la forma de comportarnos con los demás. Hay que subrayar que estos recuerdos están enlazados con las emociones, de forma que la contabilidad es un enrejado de acciones y sentimientos basados en experiencias compartidas a lo largo del tiempo.

En general, el sistema de contabilidad de una familia es complejo y depende de la manera de comportarse de los miembros de la familia. Los lazos de confianza y obligación se establecen cuando las personas están disponibles, son sensibles o ayudan a los demás; mientras que la desconfianza surge cuando los miembros de la familia no están disponibles, son insensibles o dañinos. Generalmente la contabilidad no es explícita porque se desarrolla lentamente con el tejido complejo y rico de la vida familiar. Al Pruitt describió la contabilidad de su familia, utilizando los recuerdos de sus padres y abuelos como sigue:

> Es difícil describir los fuertes lazos de unión de nuestra familia. Tengo muchos recuerdos que explican las normas que regían en nuestra familia. Mamá y papá pensaban que los miembros de una familia siempre tenían que estar dispuestos a ayudarse unos a otros.
>
> Recuerdo que siendo pequeño salí a dar un paseo con papá justo después de morir el abuelo. Sujetaba mi mano firmemente y andaba muy rápido. Casi me arrastraba tras él. No hablábamos, sólo quería que estuviera con él.
>
> Cuando vi que estaba llorando, me cogió en brazos y siguió caminando. Me llevó en brazos hasta que llegamos al final de la manzana. Me dejó en el suelo, siguió abrazándome y me miró di-

rectamente a los ojos... «Echo de menos a mi padre. Siempre me ayudaba cuando le necesitaba, y ahora se ha ido. Ahora tú y yo tenemos que cuidar uno del otro.»

La metáfora del libro de contabilidad es muy útil para entender el sentimiento de culpabilidad. La culpabilidad es una de las emociones más difíciles de superar, es la sensación de que no hemos hecho todo lo que debemos hacer por nuestros padres. Incluso cuando las relaciones entre padres e hijos son afectuosas y generosas, es normal que el hijo piense que no está haciendo lo suficiente, aunque generalmente esta idea no tiene razón de ser.

Frecuentemente la culpabilidad se interpone en el camino de la comunicación eficaz y del cuidado de los padres enfermos, porque los hijos adultos tienden a esperar muy poco de los padres ancianos y demasiado de sí mismos. Existen muchas razones para que los hijos adultos se sientan culpables respecto a sus padres ancianos y viceversa. Es difícil que a lo largo de toda una vida se hayan satisfecho todas las expectativas. Hay situaciones en las que esto es claramente imposible: un hijo o hija que no ha visitado a sus padres con la suficiente frecuencia a lo largo de los años o que ha estado ausente de los acontecimientos familiares importantes debido a las obligaciones profesionales. De igual manera, los hijos adultos pueden sentir que sus padres no les prestaron la suficiente atención durante su infancia debido al trabajo o a otros compromisos. Probablemente todos nos hemos sentido culpables alguna vez por no haber cumplido con ciertas obligaciones y responsabilidades. Además, casi todas las familias han tenido problemas graves en su historia, momentos en que alguien dijo e hizo cosas de las que desearía retractarse incluso años después.

Independientemente de lo que nos haga sentir culpables, el reto es superar este sentimiento. Lo primero que debes hacer es admitir que en el pasado han ocurrido muchas cosas entre tú, tus padres y otros miembros de la familia. Antes de tomar decisiones sobre tus padres, debes comprender cómo están afectando tus sentimientos de culpabilidad a estas decisiones. Si te quedas atrapado en los sentimientos de culpa, estas condenado a ser desgraciado, hagas lo que hagas. Además, puedes terminar creando conflictos al meterte en gastos que no te puedes permitir y al sacrificar a otras personas que dependen de ti, privándoles de los recursos que necesitan.

Aunque inicialmente puedas sentirte bien por responder a la deuda que crees que has contraído con tus padres, a medida que pase el tiempo será obvio que nunca podrás hacer lo suficiente, y te puedes amargar. Probablemente empezarás a sentirte agotado, desesperado y resentido. Esto es precisamente lo que ocurre tras una vida de sentimientos de culpabilidad no analizados: estos sentimientos hacen que te sientas demasiado avergonzado para hacer cualquier cosa que no sea tratar de compensar a los demás por tus errores. Te conviertes en un animal enjaulado corriendo en una rueda de ejercicio, porque te cansas sin llegar a ningún sitio.

Incluso cuando las relaciones entre padres e hijos están deterioradas o rotas, la culpa puede salir a la superficie e influir en el proceso de cuidado. Es legítimo cuestionar tu obligación de proporcionar cuidados prolongados a tus padres. Muchos hijos adultos que han sido maltratados o abandonados por sus padres sienten la obligación moral de proporcionarles cuidados y al mismo tiempo desean alejarse de la situación. Es una dualidad natural, y el mensaje no es que debas descuidar a tus padres, sino que debes admitir que una respuesta mínima por tu parte es aceptable. No existe una fórmula para determinar cuánta atención es suficiente. En realidad, ésta es la clave del problema. Tus sentimientos pueden llevarte por mal camino, y no hay ningún «baremo» que te diga si te estás esforzando poco o demasiado.

Puedes ver lo que estás haciendo desde otra perspectiva siendo sincero contigo mismo y con los demás e implicando a otros y escuchando su opinión. Entender «por qué» depende de ti. No decimos que manejar tus sentimientos de culpabilidad sea fácil. Lo importante es tratar de analizar el pasado y tus sentimientos sobre éste, ponerlos en perspectiva y ocuparte de tareas específicas que te lleven a un nivel responsable de preocupación por el bienestar de tus padres. Tanto tú como el resto de tu familia necesitáis hacer lo que sea necesario en el presente para permitir que tus padres sean tan independientes como sea posible teniendo en cuenta los recursos de que disponéis.

En nuestra sociedad los miembros de la familia no viven juntos durante mucho tiempo. Esto ha aumentado nuestro sentido de culpa por la respuesta que hemos dado a nuestros padres ancianos. El rápido envejecimiento de nuestra sociedad es un acontecimiento histórico sin precedentes, y aún no hemos aprendido a tratar con las generaciones mayores. Se ha sugerido que de alguna forma pagamos nuestras deudas con nuestros mayores cuidando de sus nietos, continuando así su herencia. Aunque esto pueda ser así en algunas familias, no todo el mundo tiene hijos. Además, por mucho que cuidemos de nuestros propios hijos, es raro que desatendamos las necesidades de nuestros padres.

Nuestra sociedad aún no nos ofrece normas claras sobre lo que tenemos que hacer para satisfacer nuestras obligaciones con nuestros padres y al mismo tiempo sustentarnos a nosotros mismos y a otros. En el pasado el balance se equilibraba cuando cada generación daba a la siguiente las destrezas y recursos que necesitaba para sobrevivir. Los padres morían relativamente jóvenes y los hijos invertían en sus propias familias sin tener que preocuparse por los padres. Actualmente los hijos deben plantearse lo que realmente pueden hacer por sus padres. Las necesidades de un anciano enfermo pueden parecer virtualmente ilimitadas e imposibles de satisfacer. Esto ocurre con todas las personas enfermas, no sólo con los ancianos enfermos. No obstante, el primer paso para desenmarañar el nudo gordiano de las necesidades no satisfechas y la culpabilidad interminable es entender que no puedes satisfacer todas las necesidades de tu padre enfermo. Puedes meterte en problemas si no estableces unos límites.

Carla Riviera describió lo que ocurrió cuando su hermana Alice no fue capaz de manejar su sentimiento de culpa cuando su padre ingresó en un asilo:

> Alice visitaba a papá todos los días, en ocasiones incluso dos veces en un mismo día, durante ocho meses. Le alimentaba y le vestía todas las mañanas. Papá sollozaba y la abrazaba cada vez que intentaba dejarle, y esto entristecía a Alice. Por ello, pasaba con él la mayor parte de la mañana y era incapaz de dejarle solo. Al final esto le costó el trabajo. Al principio su jefe fue comprensivo e incluso le sugirió que compartiese el trabajo con otra persona. Alice rechazó esta posibilidad, insistiendo en que podría arreglárselas sola.

> Con frecuencia acusaba a mamá de no pasar suficiente tiempo con papá y la culpaba de los problemas de éste. No era raro que tuvieran terribles peleas. A veces pasaban una semana entera sin hablarse.
>
> Alice empezó a beber después de perder su trabajo, lo que hizo que los conflictos con mamá fuesen más violentos. Finalmente con ayuda de una de las enfermeras convencimos a Alice para que pidiese ayuda profesional. Mejoró y comprendió que había perdido el control de su vida.
>
> Papá murió cuando Alice estaba en el hospital. Todavía se siente culpable por no haber manejado las cosas mejor y por no haber estado junto a papá cuando éste murió.

El caso de Alice Riviera no es raro. Quería que su padre «se sintiese querido hasta el final» y era incapaz de poner límites a lo que debía hacer por él. No se trataba de devoción. Con mucha frecuencia los miembros de la familia con frecuencia se sienten obligados a pasar muchas horas en el asilo, y para muchas personas esto es lo correcto. Desgraciadamente, Alice desatendió otros aspectos de su vida y pronto se sintió tan agobiada que fue incapaz de tomar decisiones razonables. Aunque al principio su jefe estaba dispuesto a ser flexible, la furia de Alice le impedía pensar de manera lógica. Cuando le pidieron que se tomara unos días libres se enfadó tanto que dimitió. No sólo perdió su trabajo, sino que se ganó la antipatía de su familia y del personal del hospital con sus exigencias constantes y agresivas.

Su hermana Carla explicó que la ira que sentía Alice hacia su familia y hacia el personal de la residencia interfería con su habilidad para cuidar de su padre.

> Alice decía que ella era la única que realmente quería ayudar a papá, y nos censuraba por no preocuparnos. Sin embargo, las enfermeras nos dijeron que no tenía paciencia con papá y que cuando no le hacía caso le gritaba e incluso le golpeaba.
>
> Afortunadamente, una de las enfermeras convenció a Alice de que necesitaba ayuda. No creo que nosotros hubiésemos podido convencerla. Fue necesario que un extraño la ayudase a eliminar la angustia, la culpa y la ira que sentía.

Cómo encontrar apoyo para manejar las emociones

Explorar nuestros sentimientos no es fácil, sobre todo los sentimientos hacia los padres, el cónyuge o un hijo. Estar abierto a la posibilidad de que sean las emociones las que estén causando las dificultades requiere tiempo, esfuerzo y con frecuencia coraje. Aunque puedas sentirte presionado para tomar las decisiones rápidamente, esta sensación no es real. Muy pocos de los problemas que afrontamos requieren respuestas rápidas, pero las emociones que los rodean crean la sensación de que hay que tomar decisiones inmediatamente.

Generalmente, cuando la familia se toma tiempo para examinar las distintas alternativas toma mejores decisiones. Encuentra tiempo para hablar sobre tus sentimientos durante el día con tu familia y con otros. Desgraciadamente, la mayoría de nosotros tratamos de resolver los problemas personales y familiares cuando nuestra energía está baja, es decir, al principio o al final del día.

Aunque seas fuerte, es conveniente que pidas ayuda para manejar los componentes emocionales del cuidado. Hablar sobre tus sentimientos y pensamientos con otra persona no es un signo de debilidad, sino todo lo contrario: es lo que distingue a un individuo sano y con éxito. La mayoría de las personas con éxito tienen consejeros. De hecho, los líderes con más éxito en los negocios, en el gobierno, en las ciencias y en cualquier otra profesión tienen muchas personas a su alrededor que les aconsejan y les proporcionan información útil y exacta.

Aunque te consideres una persona reservada o «que puede manejar las cosas» no debes afrontar el cuidado de tus padres solo. Algunas personas son eficaces por sí mismas, y si eres capaz de hacer lo que es necesario y manejar tus emociones, mejor para ti. Pero no es una desgracia estar entre el 99 por ciento restante que necesitan gente que les apoye.

Ser humano es sentir emociones e incluso a veces tener problemas afectivos. Puedes manejar tus emociones tú solo o hablar con tu familia, con tus amigos o con el sacerdote. También puedes pedir ayuda profesional para superar tus problemas emocionales antes de que éstos empeoren. Es conveniente pedir ayuda antes de que los problemas emocionales sean tan graves que interfieran con tu habilidad para hacer las cosas o te hagan enfermar. Tomar la decisión de pedir ayuda es un signo de sabiduría y madurez. Estás demostrando que eres lo suficientemente fuerte para acercarte a otros y que crees en tu capacidad para superar las dificultades.

Puedes obtener ayuda. Tu médico de familia puede tratarte en su consulta o recomendarte a otro profesional. Esto dependerá de la severidad de tu problema emocional. Además, hay otros profesionales que pueden ayudarte: psiquiatras, psicólogos, trabajadores sociales, enfermeras especializadas en psiquiatría, terapeutas y consejeros matrimoniales y de familia. Los centros de salud mental de la comunidad aparecen en las páginas amarillas. Los colegios profesionales locales y estatales así como las asociaciones de salud mental son excelentes fuentes de referencia para pedir ayuda y consejo. Si tienes problemas económicos, estos grupos pueden ayudarte a encontrar el tipo de atención que puedes pagar. Una intervención precoz y correcta puede ayudar a la mayoría de las personas a volver a la vida normal. No puedes eliminar el estrés y las tensiones del cuidado, pero puedes aprender a afrontarlos mejor.

El resto del capítulo describe los problemas emocionales que con más frecuencia presentan las personas que cuidan de sus padres: depresión, ansiedad e ira. Además, proporcionamos listas y cuestionarios autoadministrados para determinar tu grado de depresión, ansiedad o enfado. Ninguno de estos test es un instrumento de diagnóstico. Simplemente son herramientas de investigación para ayudarte a identificar el nivel de angustia que puedes estar sintiendo y para subrayar la necesidad de ayuda.

Depresión

Todos nos hemos sentido tristes alguna vez en nuestra vida. Aunque la tristeza, también llamada depresión, es desagradable, es una reacción normal ante el fracaso, la pérdida de algún ser querido o los malos momentos. Algunas personas casi nunca se deprimen, excepto cuando afrontan crisis dramáticas de la vida. La mayoría de la gente experimenta un estado de depresión cuando los fracasos, las pérdidas y las barreras les amenazan en la vida diaria. Desgraciadamente, hay un pequeño número de personas que están siempre deprimidas y viven sin alegría.

Las múltiples caras de la depresión

La depresión puede tomar varias formas. Puede ser una reacción normal ante una pérdida dolorosa. Ésta es la forma que todos conocemos bien. La gente que amamos nos rechaza, enferma o muere. Perdemos nuestro trabajo o no conseguimos el trabajo que deseamos. Nuestros hijos tienen problemas en la escuela, con los amigos, el alcohol o las drogas. Cuando un ser humano experimenta dolor, es normal que reaccione con sentimientos negativos.

Cuando nos encontramos en una situación preocupante, podemos reaccionar sintiéndonos impotentes, vacíos, tristes, melancólicos, abatidos e indiferentes. Podríamos perder el interés por las cosas que nos rodean y tener problemas para concentrarnos. Tendemos a comer mucho o a perder el apetito. Por la noche no dormimos bien y damos vueltas y nos levantamos a primera hora de la mañana incapaces de volver a dormir. Pero, transcurrido un tiempo, normalmente en pocos días o en una semana, comenzamos a sentirnos mejor. Nuestros problemas pueden no haberse solucionado, pero encontramos la forma de aceptar o afrontar nuestras pérdidas, fracasos y problemas.

La depresión también puede ser una enfermedad grave que tiene un importante impacto negativo en la vida de una persona. La depresión prolongada es un problema grave. Los sentimientos persistentes de inutilidad y aislamiento pueden conducir al consumo de drogas o alcohol y al suicidio. Hay varios tipos de trastorno depresivo, algunos de los más graves son la depresión unipolar y la depresión bipolar. La principal característica de la depresión bipolar es la manía, es decir, la aparición en algún momento de la vida de la persona de síntomas que parecen opuestos a la depresión, como la verborrea, la hiperactividad, la creencia en la propia habilidad de hacer cosas grandes e importantes, el gasto excesivo y la disminución de la necesidad de dormir. Debido a que la depresión bipolar siempre implica episodios de conducta maníaca y depresiva, en el pasado se denominaba «trastorno maníaco-depresivo».

La depresión unipolar es una enfermedad grave caracterizada por tristeza persistente, cambios negativos en el estado de ánimo y en los sentimientos, alteración de patrones de alimentación y sueño, pérdida de peso y disminución del interés por el sexo y otras actividades placenteras. Con frecuencia se considera como un estado de apatía o «depre» durante el cual no se disfruta de la vida, el futuro parece desolador, y los sentimientos de impotencia, inutilidad, fracaso y culpabilidad están presentes la mayor parte del tiempo. Generalmente, las personas deprimidas tienen una gran influencia en los que les rodean, haciendo que los demás se sientan muy tristes o un poco enfadados al estar con ellos. Algunos se muestran irritables, inquietos, nerviosos, quisquillosos y negativos. Es difícil convivir con ellos.

Con frecuencia se confunde la depresión con una enfermedad física debido a que los estados depresivos parecen estar asociados a un aumento de la sensibilidad al dolor, letargo y malestar. Cuando aparece la depresión, cualquiera que ya esté sufriendo una enfermedad crónica se sentirá peor. La mayoría de las personas deprimidas simplemente se cuidan menos, descuidan el buen cuidado de la salud, no toman la medicación y generalmente parecen empeorar. No es raro que otras personas crean erróneamente que los pacientes deprimidos sufren la enfermedad de Alzheimer u otras demencias relacionadas con este trastorno.

Una depresión mayor se diferencia de los estados de tristeza normales en muchos aspectos, como el número, severidad y duración de los síntomas. Los episodios depresivos mayores no son sólo cambios de humor. Son realmente incapacitantes y afectan al pensamiento, conducta y estado físico de la persona. Debido a que las personas deprimidas con frecuencia se sienten fracasadas, muchos de ellos creen que no merecen ayuda y se sienten tan desesperanzados respecto a su situación que rechazan la ayuda de los profesionales y de su familia. Cuando una persona está deprimida, está enferma y necesita tratamiento. Afortunadamente, la mayoría de las personas con depresión unipolar pueden ser tratadas eficazmente con medicación (antidepresivos) o psicoterapia, aunque es preferible combinar ambas. Las personas que padecen una depresión bipolar también tienen un buen pronóstico si reciben tratamiento, generalmente con una droga llamada carbonato de litio.

Los síntomas de la depresión

Si crees que tú o alguien cercano puede estar deprimiéndose gravemente, hay al menos cuatro áreas que deberías observar por si hay síntomas. Busca cambios en el pensamiento, humor, conducta y funciones corporales.

Pensamiento. Cuando estás deprimido tienes una visión negativa de ti mismo, del mundo y de tu futuro. Las tareas más fáciles parecen imposibles. Crees que todo lo que haces es inútil e inadecuado. Incluso cuando otros juzgan tus acciones como éxitos tú los consideras fracasos. Tu estilo de pensamiento es pesimista. Ves la vida como una serie de acontecimientos negativos con pocas perspectivas de cambio.

Humor. Puede que llores mucho, aparentemente sin motivo, o puede que ni siquiera puedas llorar. Puedes sentirte agobiado por la desesperación y la apatía, y lleno de un dolor indescriptible. Puede que te sientas tenso, enfadado e irritable. Estos estados de ánimo no son constantes. En realidad, generalmente varían dependiendo del momento del día. El comienzo del día suele ser el momento más bajo. Quieres quedarte en la cama y dormir en vez de afrontar la jornada. Si te levantas y te pones en marcha normalmente tu humor mejora poco a poco. El atardecer es el mejor momento del día, aunque puede que te sientas ligeramente peor al final de la tarde.

Conducta. Tu conducta puede verse afectada de distintas formas. Podrías sentirte intranquilo, pasear de un lado a otro sin poder estar quieto, saltar de proyecto en proyecto sin poder concentrarte o, por el contrario, moverte muy despacio, renunciar a realizar actividades placenteras y permanecer en la cama todo el día.

Funciones corporales. La forma en que funciona tu cuerpo cambia. Puedes sentir numerosos dolores y achaques, perder las ganas de comer y beber o tener más apetito. Puedes dar vueltas en la cama incapaz de dormir por la noche. Es común despertarse temprano por la mañana. Tu sistema gastrointestinal podría funcionar mal o más despacio, pero esto no es sorprendente, ya que has cambiado tus hábitos alimentarios.

Si buscas la ayuda de un psiquiatra o psicólogo, éste te entrevistará y tratará de establecer un diagnóstico de acuerdo con unos criterios específicos. Para que te diagnostiquen un episodio de depresión mayor utilizando los criterios diagnósticos actuales, debes presentar al menos cinco de los nueve síntomas siguientes:

1. Humor deprimido.
2. Pérdida de interés por las actividades habituales.
3. Pérdida de apetito con pérdida de peso asociada o incremento del apetito con aumento súbito de peso.
4. Insomnio.
5. Pensamiento y/o movimiento enlentecido o agitación.
6. Pérdida de energía.
7. Sentimientos de inutilidad y culpa.
8. Disminución de la capacidad para pensar o concentrarse.
9. Ideas o intentos de suicidio.

Esta lista de síntomas no pretende ser un instrumento para que te diagnostiques a ti mismo, su finalidad es darte una idea de las características de la depresión así como de la utilidad de consultar a un profesional. Como la depresión es la enfermedad que más afecta a las personas que cuidan de sus padres, queremos darte la oportunidad de que te evalúes tú mismo.

EVALÚA TU DEPRESIÓN

¿Quieres saber si estás deprimido? El siguiente test creado por Leonora Radloff[5] en el National Institute of Mental Health, y conocido como «Test de Depresión del Centro de Estudios Epidemiológicos», puede ser revelador.

5. Leonora S. Radloff, «The CES-D Scale: A Self-Report Depression Scale for Research in the General Population», *Applied Psychological Measurement,* 1977.

Elige la respuesta que mejor describa tu situación durante la semana pasada y rodea con un círculo el número correspondiente.

0 = Raramente o nunca (menos de 1 día).
1 = Alguna vez (1-2 días).
2 = Ocasionalmente (3-4 días).
3 = La mayor parte del tiempo (5-7 días).

Durante la semana pasada:

1. Me preocupé por cosas que habitualmente no me preocupan.
2. Tuve poco apetito.
3. No pude librarme de la tristeza ni siquiera con la ayuda de mi familia y amigos.
4. Me sentí inferior a otros.
5. Tuve problemas para concentrarme en lo que hice.
6. Me sentí deprimido.
7. Todo lo que hice supuso un esfuerzo.
8. Me sentí desesperanzado ante el futuro.
9. Pensé que mi vida era un fracaso.
10. Sentí miedo.
11. No dormí bien.
12. Fui infeliz.
13. Hablé menos de lo habitual.
14. Me sentí solo.
15. La gente fue poco amistosa.
16. No disfruté de la vida.
17. Tuve episodios de llanto.
18. Me sentí triste.
19. Sentí que no gustaba a los demás.
20. Sentí que no podía seguir adelante.

Para calcular tu puntuación suma los números que has señalado en cada afirmación. El total estará entre 0 y 60. Si tu puntuación está entre 0 y 9 estás en el grupo de los no deprimidos. Además, tu puntuación está por debajo de la media de los adultos en los Estados Unidos. Una puntuación entre 10 y 15 te sitúa en la mitad de la escala, y una puntuación comprendida entre 16 y 24 en el área de depresión moderada. Si tu puntuación es superior a 24 podrías estar gravemente deprimido.

Aunque una puntuación alta en este cuestionario no es equivalente a un diagnóstico de depresión, si tu puntuación es alta o, independientemente de tu puntuación, si piensas que el suicidio puede ser la única forma de salir de tu situación actual no dudes en visitar a un profesional de la salud mental lo antes posible. Puedes obtener ayuda para ti y tu situación.

Si tu puntuación te sitúa en el intervalo de los moderadamente deprimidos realiza el test de nuevo dentro de dos semanas. Si tu puntuación continúa en ese intervalo, consulta a un profesional de la salud mental.

Consejos para afrontar la depresión

Estos útiles consejos para hacer frente a la depresión fueron desarrollados por la American Cancer Society[6] y han difundido valor para todas las personas en estados depresivos leves.

1. *Trata de no centrarte demasiado en ti mismo.* El ciclo de la depresión se mantiene cuando el individuo piensa y habla demasiado sobre sí mismo. Sé consciente de esta tendencia. No te obsesiones ni estés abatido.
2. *Trata de no utilizar términos como* «no puedo» *y* «no debería». Utiliza palabras como «puedo» y «quiero». Piensa en positivo: «Puedo hacer algo. Saldré. Llamaré a alguien». Cuando una persona está deprimida sus pensamientos tienden a ser negativos.
3. *Implícate en un proyecto.* Si estás deprimido necesitas encontrar formas de salir de ti mismo. Estar con los niños o con otras personas, o acercarte a los demás siendo voluntario en alguna actividad te ayudará a dejar de pensar en ti mismo.
4. *Aprende a decir «no» de vez en cuando.* Puedes estar de-

6. The American Cancer Society, *Tips for Coping With Depression.*

primido porque te sientes tan atrapado por algunas de las exigencias de la tarea asistencial que has perdido el control. Pero puedes decir no de vez en cuando si crees que los demás te están presionando en exceso.

5. *Habla.* Mantener los sentimientos reprimidos sólo aumenta la tensión. Hablar con alguien puede ayudarte a verte desde una nueva perspectiva. Además, hablar detendrá el ciclo de depresión, tristeza y autocompasión que es característico de la depresión.
6. *Conoce tus límites y limitaciones.* Necesitas enfrentarte con lo que puedes y no puedes hacer. Sé consciente de cuánto puedes hacer antes de cansarte. Márcate un ritmo.
7. *Reconsidera tu necesidad de ganar siempre.* Existen muchas personas que necesitan tener razón y ganar cada discusión. Tu depresión puede estar causada por tu necesidad de tener razón cuando estás con tus padres y otros miembros de la familia. Cuando no ganas te sientes defraudado y rechazado, y esto te conduce a sentir ira y depresión. Aprende a ceder de vez en cuando.
8. *Ejercicio.* La actividad física es una buena forma de desahogarse y descargar las tensiones y frustraciones.
9. *Encuentra actividades placenteras.* Empezar algún pasatiempo o pasar el rato en algún club o grupo puede resultar terapéutico. Deja de estar inactivo, sal y haz cosas. Sustituye tus sentimientos de tristeza y autocompasión por alegría, felicidad y buen humor. Ve una película divertida, lee tebeos, y hazte el propósito de reír cada día.
10. *Piensa en cosas positivas.* Fíjate en lo que has conseguido, no en lo que no has hecho o no has podido hacer. Utiliza tus talentos y habilidades y piensa en tus éxitos.
11. *Adopta hábitos alimentarios adecuados y descansa lo suficiente.* La depresión puede estar causada por una alimentación inadecuada o por falta de descanso. No comas solo. Es más divertido comer con otros.
12. *No dejes que la vida te abrume. Afronta los problemas de uno en uno.* Piensa en lo que es más importante y hazlo. Si te dejas abrumar puedes quedar paralizado y ser incapaz de funcionar, y esto te puede llevar a la depresión. Haz

> una lista con todos los problemas que crees tener, analízala y establece un orden. Después elige el problema más importante y elabora otra lista con tus opciones para solucionarlo. Inventa un plan y establece los pasos para llevarlo a cabo. Ponte un plazo y cúmplelo.

Estos excelentes consejos pueden ayudarte a superar síntomas depresivos menores. No obstante, si tu depresión es muy incapacitante puede que simplemente seas incapaz de hacer lo que es necesario, y en estos casos deberías buscar ayuda.

La depresión es una enfermedad que se puede tratar y los profesionales de la salud mental pueden ayudarte. Las personas que están deprimidas no sólo son incapaces de cuidar eficazmente de sus padres, sino que ellos mismos necesitan ayuda. En casos extremos la depresión lleva al suicidio. El deseo de suicidarse puede surgir del intenso sentimiento de impotencia y desesperación asociado con la culpabilidad e ira, que son características esenciales de este trastorno.

Merece la pena señalar que la depresión puede ser un síntoma de muchas enfermedades físicas (como la baja actividad tiroidea), de determinadas medicaciones (como algunas de las que se administran para controlar la tensión); y que la depresión, concretamente la depresión bipolar, puede tener una base genética que aumenta la vulnerabilidad del individuo. Algunas depresiones están inducidas por la personalidad, y de hecho algunas personas tienen humor depresivo crónico durante años. Una evaluación minuciosa y un tratamiento adecuado pueden mejorar la calidad de vida y en algunos casos prevenir la aparición del trastorno.

Ansiedad

Con frecuencia la ansiedad es una respuesta normal y juega un importante papel en la supervivencia. La ansiedad nos ayuda a evitar el peligro, a llevar a nuestros hijos al médico cuando tienen mucha fiebre, a instalar detectores de humo en nuestras casas, y a tratar de mejorar en la escuela y en la vida en general. Es natural que la gente se preocupe y la preocupación hace que nos aseguremos de que evitamos el peligro.

Generalmente la gente vive la ansiedad como un sentimiento de preocupación y tensión. Puede ser la vaga sensación de que algo malo o desagradable les va a ocurrir, aunque no exista una amenaza real. La ansiedad puede aparecer cuando el individuo reprime sentimientos que o no puede afrontar o no comprende. También puede tener su origen en un conflicto entre lo que una persona piensa que le gustaría hacer y lo que cree que debería hacer.

Los síntomas más comunes de la ansiedad son:

Nerviosismo.
Temblores.
Vértigo.
Incapacidad para hacer las cosas despacio.
Hábitos alimentarios anormales.
Taquicardia.
Manos sudorosas.
Náuseas.
Dolor de estómago.
Dificultad para respirar.

La ansiedad puede ser útil en pequeñas cantidades y en casos concretos, pero en una dosis alta se convierte en un problema grave. La ansiedad denominada libre-flotante hace que el individuo vea todo diferente y temible, y en grado extremo resulta tan agobiante que impide actuar. La ansiedad puede referirse a aspectos concretos de la vida diaria. Por ejemplo, la ansiedad agobiante por la apariencia física puede conducir a trastornos alimentarios que hacen que la persona que los padece literalmente se muera de hambre. Si una persona siente ansiedad al salir de casa, puede terminar padeciendo una fobia que le impida trabajar o ir a cualquier sitio. En otros casos la limpieza se convierte en una obsesión, y el lavado de manos es la actividad dominante durante las horas de vigilia. Algunas personas experimentan ansiedad por muchos motivos y viven con una sensación generalizada de miedo y terror.

Tienes buenas razones para preocuparte por la salud y el bienestar de tus padres. Si tu madre es dada de alta en el hospital tras una fractura de cadera, puede preocuparte la necesidad de combinar los horarios de los miembros de la familia para cuidarla mientras se recupera. Si tu padre sufre un ataque al corazón puedes sentir mucha ansiedad y miedo hasta que conozcas el pronóstico.

Recuerda que la ansiedad es una respuesta natural y útil. Te motiva para dar una respuesta. Pero la ansiedad excesiva y prolongada puede originar problemas graves como úlceras, problemas de tensión, trastornos psiquiátricos e incapacidad para disfrutar la vida. La ansiedad también puede ser síntoma de una depresión subyacente. Si la ansiedad interfiere en tu habilidad para funcionar, debería ser eliminada.

Los síntomas de la ansiedad

La ansiedad puede ser agobiante, hacer tu vida absolutamente desgraciada e interferir con el cuidado eficaz de tus padres. Si te reconoces a ti mismo en alguna de las siguientes tres descripciones, puede que necesites pedir cita a un médico para una evaluación. Si estás preocupado, al menos habla con un amigo. En ocasiones obtener el apoyo de alguien en quien confías puede darte el valor para visitar a un profesional. Recuerda que tu salud es importante y que todos estos problemas se pueden tratar. No es necesario que sufras.

Trastorno por ansiedad generalizada. Está caracterizado por una preocupación constante, excesiva y no realista, y con frecuencia también por:

Intranquilidad.
Tensión e irritabilidad.
Sensación de tener los nervios de punta.
Dificultad para concentrarse.
Sudoración.
Sueño pobre.
Sensación de tener un nudo en la garganta.
Boca seca.
Trastornos gastrointestinales.

Ataques de pánico. Los ataques de ansiedad inesperados, graves e intensos que ocurren sin causa aparente son conocidos como ataques de pánico. Aparecen en cualquier momento, sin aviso, y parecen incontrolables. Una persona con un ataque de pánico probablemente experimentará lo siguiente:

Molestias en el pecho.
Taquicardia.
Falta de aire.
Sensación de ahogo.
Miedo a morir.
Temblores.
Sensación de pérdida de conciencia.
Sensación de pérdida del control.
Evitación de lugares donde no hay ayuda disponible si se necesita.

Trastorno obsesivo-compulsivo. El trastorno de ansiedad conocido como trastorno obsesivo-compulsivo se caracteriza por obsesiones (la recurrencia de ideas, impulsos e imágenes intrusivas) y compulsiones (conductas sin sentido, repetitivas y excesivas). Generalmente los intentos de frenar estas conductas producen gran ansiedad.

Recuerda que estas descripciones no sirven para autodiagnosticarse. Sólo pretenden darte unos puntos de referencia para pensar sobre tu nivel de ansiedad.

Consejos para afrontar la ansiedad

Algunos de los consejos para afrontar la depresión se aplican también a la ansiedad. Puede ser conveniente que visites a tu médico. Si estás preocupado por tus síntomas físicos es importante que te hagas un chequeo. Tu médico será capaz de diagnosticar la causa de tus achaques y dolores. En el caso de que sufras una ansiedad grave, ataques de pánico o fobias, también es conveniente que visites a un profesional de la salud mental. Los psicólogos Aaron Beck y Gary Emery[7] en su libro *Anxiety Disorders and*

7. T. Aaron Beck, M. D., y Emery, Gary, Ph. D., *Anxiety Disorders and Phobias*, Copyright 1985 by Aaron T. Beck, M. D. y Gary Emery, Ph. D. Con permiso de Basic Books, una sección de HarperCollins Publishers, Inc.

Phobias han sugerido una estrategia de cinco pasos para afrontar la ansiedad. Ellos afirman que el truco para salir del estado de ansiedad es aceptarlo. Esto puede sonar raro, pero la siguiente descripción explica los ejercicios que puedes hacer para aceptar tu ansiedad. Utilizando su estrategia deberías ser capaz de aceptar tu ansiedad y hacerla desaparecer.

1. *Acepta la ansiedad. Aceptar* se define en el diccionario como «recibir voluntariamente lo que se da, ofrece o encarga». «Recibe» tu ansiedad. No luches contra ella. Resistiéndote la estás prolongando. Trata de sustituir tu tensión e ira por aceptación. Sigue la corriente.
2. *Observa tu ansiedad.* Observa tu ansiedad sin juzgarla. Tú no eres tu ansiedad. Sé objetivo y trata de distanciarte de la experiencia. Puntúa tu ansiedad en una escala de 0 a 10, y observa cómo aumenta y disminuye. Observa tu ansiedad como si fueses un espectador.
3. *Actúa con la ansiedad.* Actúa como si no estuvieses nervioso. Trata de normalizar tu situación. Respira profundamente. Quédate con tu ansiedad y vive con ella. Trata de no obsesionarte con la necesidad imperiosa de cortar el malestar.
4. *Repite los pasos anteriores.* Continúa aceptando tu ansiedad, obsérvala, y actúa con ella hasta que disminuya hasta un nivel aceptable. Lo hará si repites estos pasos.
5. *Ten esperanza.* Intenta cambiar tu mentalidad para esperar lo mejor. Piensa en los buenos tiempos y recuerda la sensación de felicidad. Utiliza esta técnica para confiar en que volverán los buenos tiempos.

Lo que temes raramente ocurre. Mientras estés vivo, tendrás cierta ansiedad. No te sorprendas por ello. Acéptalo y confía en ser capaz de manejarla.

Ira

El cuidado de los padres genera mucha ira. Estar junto a tus padres cuando envejecen cambia tu vida de muchas formas inesperadas y con frecuencia indeseables, y esto no es agradable. A menudo la ira es la tapadera de otras emociones que son difíciles de afrontar, como el miedo, la culpabilidad, la impotencia y el dolor. Si estás enfadado, es probable que estés tapando una o más de estas emociones.

La ira puede tener una influencia muy negativa en ti, en tu familia y en tus amigos, sobre todo si estás siempre enfadado y creas conflictos contigo mismo y con los demás. Si te sienta mal que otros tengan tenga buena salud o suerte, puede que tu ira te esté haciendo sentir envidia de otros. Puedes sentir que nadie comprende lo preocupado o molesto que te sientes. Los que te rodean pueden parecer insensibles, y puede que pienses: «¿Cómo se atreve el mundo a continuar como siempre cuando yo tengo estos problemas?».

Puede que busques a alguien a quién culpar por lo que ha pasado o por tu dolor o enfado. Quieres un «chivo expiatorio» para tu ira: el médico que te hizo esperar una hora para tu cita, la mujer que conducía tan despacio delante de ti o tu perro, por necesitar salir en un momento inoportuno. También te culparás a ti mismo: «¡Cómo he podido ser tan estúpido! Debería haber hecho algo antes. Vi cómo empeoraba y no hice nada». Cuando una persona es religiosa, con frecuencia es a Dios a quien se le echa la culpa: «¿Cómo puede Dios abandonarme cuando más le necesito?» o «¿Qué he hecho yo para merecer esto?».

La frustración por no ser capaz de lograr tus objetivos puede provocar ira. Si quieres que algo ocurra de una forma determinada y en un momento concreto, corres el riesgo de sentirte frustrado, sobre todo si no tomas en consideración los deseos de los demás. Evita caer en esta trampa manteniendo una actitud flexible y cooperadora (véase el capítulo 4).

Incluso las personas que habitualmente son apacibles o tranquilas pueden llegar a ser agresivas por la presión que implica el cuidado de los padres. Puede que de pronto sientas que el mundo entero trata de molestarte. El incidente más simple puede desencadenar una respuesta airada: el comentario casual de un amigo te irrita, el sandwich que te traen para comer no es el que has pedido, o el vagabundo de la calle te pide dinero y tú maldices en voz baja acusándole de ser un borracho o demasiado vago para encontrar un trabajo. La ira se desencadena por cualquier cosa que se ponga en tu camino cuando estás al límite. La causa real del enfado no tiene por qué tener sentido, aunque tú siempre crees que tienes una buena razón para enfadarte.

En determinadas circunstancias la ira puede ser una respuesta apropiada y útil. Generalmente la ira empieza a surgir cuando analizas la negación. Cuando la conmoción de un suceso desaparece, puede que te sientas encolerizado y pienses: «¡No es justo!» o «¿Por qué me ha tenido que ocurrir a mí?». Aunque la ira no sea agradable, cataliza un proceso curativo porque da una salida al pesar, frustración e impotencia que con frecuencia aparecen cuando cuidas de tus padres. La ira puede ser apropiada cuando los profesionales de los que dependes no son útiles para ti o para tus padres. Muchos profesionales no están especializados en geriatría y puede que no siempre sean capaces de decirte lo que quieres saber.

Opciones para expresar la ira

Probablemente no será eficaz explotar ante la persona o el suceso que te enfada. Sólo hará que te sientas más frustrado, culpable e irritado por perder el control. Es importante encontrar formas no destructivas de expresar la ira. Regina Sara Ryan[8] ha sugerido varias técnicas en su libro *The Fine Art of Recuperation.*

Desahógate. Haz cualquier cosa que te permita descargar los sentimientos con los que no sabes qué hacer. Golpea la cama o el sofá. Tira una almohada. Deja que salga la presión que hay en ti.

Escribe una carta o pinta un cuadro. Expresa tu ira en el papel. Si no te apetece escribir, dicta la carta en voz alta. Si eres incapaz de escribir una carta, escribe las palabras que representan tu ira. Cuando hayas terminado, destruye la carta o el dibujo. Dóblalo, haz garabatos y rómpelo en pedazos.

Date una ducha o un baño. Es una forma fácil de cambiar el ambiente. Lava la ira de tu sistema: mientras te remojas, te relajas y te frotas vigorosamente, imagina que las tensiones de tu interior pasan de tus músculos al agua.

8. Ryan, Regina Sara, *The Fine Art of Recuperation*, Jeremy P. Tarcher, Los Ángeles, Inc., 1989.

Ejercicio. Da un paseo, corre, nada o acude a un balneario para eliminar tu ira.

Expresa tu ira con un amigo. Encuentra a alguien que te deje hablar sobre tu ira. Pero no proyectes la ira en la persona con la que estás hablando.

Es normal estar enfadado y expresarlo. Después de eliminar tu ira, llama a un amigo, acude al masajista, ve a ver una buena película, echa una siesta o encuentra algo agradable que hacer.

Cuando identifiques tus emociones, siéntelas y trata de comprender por qué las experimentas. Así podrás ser más eficaz trabajando con otras personas en las tareas del cuidado. El siguiente capítulo explica cómo puedes colaborar con otros para hacer lo que es necesario.

4

Establecer asociaciones de colaboración

Cuidar de los padres cuando envejecen no sólo implica pensar y manejar tus emociones, sino también actuar. Tendrás que realizar una gran cantidad de tareas y, en la mayoría de los casos, lo harás mejor con la ayuda de los médicos y otros profesionales, y trabajando con tus padres, con otros miembros de la familia o con amigos. Trabajar con otras personas requiere habilidades sociales, y algunos tenemos mejores habilidades sociales que otros. Este capítulo te ayudará a reflexionar sobre tu habilidad para tratar con los demás y destacará algunos enfoques que podrías encontrar útiles.

De alguna manera, ayudar a los padres ancianos y tratar con tu familia es como dirigir un negocio familiar. Tareas como organizar los aspectos económicos, coordinar a las personas directa e indirectamente implicadas, movilizar el apoyo técnico y profesional o encontrar alojamiento y transporte son tareas que también realizan los gerentes y ejecutivos en las empresas. ¿Qué nos dice el mundo de los negocios sobre un gerente con éxito? ¿Qué cualidades tiene una persona eficaz? Serás eficaz si:

- *Te conoces a ti mismo.* Sabes por qué haces las cosas y sabes lo que te molesta. Estás seguro de lo que quieres hacer y de cómo hacerlo.
- *Eres consciente de la influencia que tienes en otras personas.* Sabes quién te teme, a quién le gustas, a quién le agrada verte, y a quien le disgusta tu presencia. Comprendes que tu energía e influencia atraen a algunas personas y asustan a otras. Puedes buscar colaboradores para hacer el trabajo que sea necesario.

- *Puedes aceptar las debilidades.* Sabes lo que tú y los demás podéis y no podéis hacer. Eres capaz de conseguir ayuda para compensar tus debilidades y encuentras a personas con la habilidad y el talento necesarios para ayudarte.
- *Eres capaz de identificar las cualidades de otros.* Puedes compartir responsabilidades con otros que tienen el talento necesario para hacer un trabajo. Puedes analizar sus puntos fuertes e integrarlos en tu plan.
- *Puedes aceptar a los que son diferentes a ti o piensan de manera distinta.* Sabes cómo hacer que otros que piensan y actúan de manera diferente muestren su talento. Surgen soluciones creativas porque eres capaz de implicar a aquellos que «marchan a otro ritmo».
- *Eres flexible.* Sabes que aunque tus planes estén funcionando, si ocurre algo imprevisto tendrás que cambiar tu línea de acción. Eres capaz de «seguir la corriente», es decir, estás preparado para cambiar cuando es necesario.
- *Eres capaz de crear un ambiente de confianza en el que la gente puede pensar, trabajar y vivir.* La confianza es una de las virtudes más difíciles de cultivar en un grupo de personas, pero es el «pegamento» de las relaciones humanas. Eres capaz de generar confianza sobre una reputación basada en tus experiencias personales, de manera que la gente te diga: «Me ayudaste cuando te necesité y yo te ayudaré a ti. Sé que llegarás hasta el fin».
- *Puedes manejar un conflicto.* El conflicto puede ser consecuencia de una situación compleja en la cual los implicados ven diferentes posibilidades y se basan en diferente información. Ofreces a la gente la oportunidad de expresar sus opiniones y emociones, y así puedes navegar en aguas revueltas.

Si tienes estas características deberías confiar en que probablemente cuidarás eficazmente de tus padres. Si no tienes estas características, hay varias tareas muy importantes que debes hacer. Piensa en el resto de los miembros de tu familia e identifica a aquel que sí tiene estas cualidades. Haz un esfuerzo para hablar con esa persona y aconséjale que ejerza como líder de la familia.

Una de las mejores virtudes de cualquier ser humano es ser capaz de reconocer lo que no es capaz de hacer y después encontrar a otra persona para que lo haga.

Establecer una asociación con tus padres

Para cuidar a tus padres no es necesario que les ames, y tampoco tienes por qué dedicarles todo tu tiempo. Cuando tu relación con ellos ha sido pobre o distante, es normal que no pases mucho tiempo con ellos o no te impliques en una toma de decisiones conjunta. Cuando las relaciones con otros miembros de la familia han sido malas, no es necesario que os reconciliéis porque tus padres estén enfermos. En algunos casos las necesidades de los padres propician reconciliaciones familiares, y esto puede ser deseable. Pero la cuestión es que no es necesario.

Aunque la relación con tus padres haya sido buena, acercarte a ellos cuando necesitan ayuda puede ser incómodo o desagradable. El cambio en el tipo de relación y tu aceptación de la tarea de cuidar de tus padres es una experiencia nueva para todos. Al principio puede resultar muy útil limitarse a establecer objetivos, desarrollar planes y determinar quién será la persona adecuada para llevarlos a cabo. Cuanto más centrado estés, más fácil será discutir estas cuestiones.

Uno de los problemas que plantea el cuidado de los padres es que con frecuencia necesitan ayuda para obtener asistencia o servicios de un amplio abanico de profesionales: médicos y otros especialistas clínicos, profesionales del departamento de servicios sociales, abogados, asesores financieros, y muchos otros. Hay tres pasos que deberías dar antes de contactar con cualquier profesional en nombre de tus padres.

1. Habla con tus padres sobre la importancia de trabajar juntos en una asociación de responsabilidad compartida. Puede darles vergüenza o miedo pedirte ayuda, por eso debes ofrecerte como voluntario para ayudarles. Hazles saber que estáis juntos en esto.

   A menos que tus padres estén gravemente incapacitados, tienen autoridad para tomar decisiones. Puede que quieras aconsejarles y participar en la toma de decisiones, pero mientras sean competentes, eso también deben decidirlo ellos. Deberías analizar con tus padres la posibilidad de que se deban tomar decisiones médicas cuando ellos ya no sean capaces de hacerlo. Un poder notarial limitado puede ser de gran valor para la familia y hacer que tanto tú como tus padres os sintáis más tranquilos. Este documento asegura que el cuidado será proporcionado tal y como tus padres desean, para prevenir conflictos y confusión y facilitar su cuidado. En el capítulo 7 se puede encontrar una explicación detallada de este tema y de otras cuestiones relacionadas con el mismo.

2. Redacta una lista de preguntas con las dudas que tenéis tú y tus padres sobre problemas médicos y medicación, así como sobre cuestiones legales, económicas y de vivienda. Escríbelo todo aunque parezca trivial.
3. Comparte las preguntas con otros miembros importantes de la familia y solicita su participación. Invítales a reunirse contigo y con tus padres para discutir las áreas problemáticas que has identificado. Si ocultas información en este momento puedes provocar suspicacias y posteriormente los demás pueden acusarte de haber utilizado tu influencia para lograr propósitos personales.

¿Qué puedes hacer si tus padres dudan o se niegan a participar? ¿Cómo hacer frente a las preocupaciones reales y aterradoras de los padres que no quieren convertirse en una carga? ¿Cómo conseguir ayuda cuando eres ineficaz? Aunque no hay recetas, sí hay unas pautas útiles.

- *Acepta a tus padres, sin atacarles ni actuar como si solo tú supieras lo que les conviene.* Uno de los aspectos más difíciles es resistirse a actuar como un «sabelotodo» autoritario, sobre todo si has investigado el problema y piensas que conoces las respuestas. Tu insistencia les irritará.

  Aunque tengas información o ideas y pienses que estás mejor informado que ellos, calma tu impaciencia por pasar a la acción. Comparte con ellos la información que has reunido y escucha atentamente sus respuestas. Asegúrate de que les proporcionas cualquier información escrita que puedas haber encontrado y explícales las cosas.

- *Céntrate en las consecuencias de su conducta y trata de calmar tu propia ira y frustración.* Subraya lo importante que es para ellos informar a un médico de sus síntomas y hacerse un chequeo. Recuerda que la detección precoz previene el dolor, la enfermedad y el sufrimiento debido a que generalmente el tratamiento es más fácil y efectivo en las primeras etapas de una enfermedad. Su estado de salud podría empeorar mucho si retrasan la visita al médico o si se demora la petición de ayuda. De igual manera, visitar a un abogado o a un contable pronto puede evitar un perjuicio posterior. Puede que en realidad tus padres sepan que «más vale prevenir que curar», pero siempre es más fácil decirlo que hacerlo.

 Mira más allá del término «tercera edad». No permitas que argumentos como «es la edad» impidan que pidas ayuda. La investigación ha demostrado que un número importante de ancianos culpan a la edad de enfermedades que en realidad pueden ser curadas o tratadas. Desgraciadamente, el argumento de «la vejez» es utilizado frecuentemente por médicos que dicen: «¿Qué esperas a tu edad?». ¡Esta actitud es perjudicial para la salud y el bienestar de cualquiera!

- *Si es absolutamente necesario, fuerza una confrontación y comienza una discusión.* A veces, una discusión es una forma legítima de despejar el camino para un diálogo honesto, pero sé consciente de lo que estás haciendo y hazlo con cuidado. Expresa tus sentimientos sinceramente, pero no pierdas el autocontrol de tu temperamento ni de la situación. Intenta escuchar atentamente a tus padres y no te fijes sólo en sus palabras, sino también en cómo expresan sus opiniones. No obstante, también es importante que sepan vuestra opinión sobre ellos y cómo está afectando su conducta al resto de la familia.
- *Debes ser consciente de cúando no eres la persona adecuada para realizar una tarea.* A veces es necesario ceder el control a otra persona. Esto no es una derrota, sino una bue-

na estrategia. Puede que para tus padres sea más fácil tratar con otro pariente, con un amigo o con un sacerdote. Esto no es sólo para guardar la compostura, sino que simplemente puede que se sientan más cómodos hablando con otra persona. Es un signo de fuerza por tu parte implicar a otros de forma apropiada para alcanzar el objetivo principal: ayudar a tus padres. No te empeñes en ser el héroe. Recuerda que el objetivo es hacer el trabajo. El mérito por conseguirlo carece de importancia en este momento.

Cómo asociarte con tus hermanos

Cooperar con tus hermanos y hermanas puede facilitar el trabajo, al menos cuando tu relación con ellos ha sido buena. La mayoría de las relaciones entre hermanos son positivas cuando éstos llegan a la mediana edad. Los estudios sugieren que el 80 por ciento de las personas tienen buenas relaciones con sus hermanos, mientras que sólo un 10 por ciento son apáticos y otro 10 por ciento son hostiles. Además, parece que las parejas hermana-hermana y hermano-hermana tienen mejores relaciones en la vida adulta y en la vejez que las parejas hermano-hermano.

No obstante, generalmente el cuidado de los padres hace que despierten viejas rivalidades entre hermanos, y pueden resurgir la competición por el amor y afecto de los padres. También es probable que se planteen problemas difíciles cuando los hermanos y hermanas ayudan a los padres. Aunque muchos hermanos y hermanas serán capaces de manejar los retos del cuidado en permanente colaboración, pueden surgir viejos problemas. Por ejemplo, ¿Quién va a mandar? ¿Quién decide cuándo ingresar a mamá y a papá en un asilo? ¿Por qué cree el hermano mayor que es de nuevo el jefe? Debéis admitir la posibilidad de que pueden resurgir viejos modelos y es preciso que estéis preparados para manejarlos de forma madura y con buen humor.

Cuando la relación entre los hermanos ha sido problemática en el pasado, puede ser un reto conseguir que todos colaboren en el cuidado de los padres. Analiza detenidamente las posibilidades antes de empezar el proceso. Hay una serie de preguntas que debes hacerte: ¿Cuáles son las conductas de la familia? ¿Quién se lleva bien con quién? ¿Quién está apartado? ¿Cuáles creen tus hermanos que son sus responsabilidades respecto a tus padres? Tus hermanos y sus cónyuges, ¿son constructivos o destructivos?

Recuerda que incluso dentro de una misma familia puede haber diferencias culturales notables. Cuando las familias han inmigrado del extranjero, los hijos mayores que inicialmente fueron educados en otra cultura pueden compartir los valores de sus padres, mientras que los más jóvenes pueden tener diferentes valores y expectativas. El sistema de valores también puede variar cuando hay mucha diferencia de edad entre los hermanos y cuando algunos son descendientes de un segundo matrimonio de los padres. Sé también consciente de que cuando tus hermanos se casan, empiezan a formar parte de un conjunto de relaciones totalmente nuevo que tú compartes sólo parcialmente.

Las complejidades de la vida familiar moderna pueden entorpecer los esfuerzos de los hermanos que están tratando de trabajar como un grupo. Los fuertes lazos positivos entre hermanos y hermanas pueden clasificarse en tres categorías generales: lealtad, simpatía y amistad. Si los lazos que unen a los hermanos son de lealtad, siempre se ayudarán unos a otros, aunque no sean amigos. Si los lazos son de simpatía, los hermanos pueden estar unos cerca de otros, pero esta relación puede cambiar en una crisis. Las relaciones de amistad son aquellas en que los individuos obtienen un apoyo de sus hermanos que no obtienen de otras personas. A medida que las familias envejecen, los lazos entre hermanos se pueden volver más importantes en el proceso de cuidado, pero no deberías presuponer que tus hermanos estarán siempre disponibles cuando les necesites, como ilustra la siguiente historia.

José y Flor García se habían trasladado a los Estados Unidos cuando sus dos hijas, María y Lourdes, tenían diez y cinco años de edad respectivamente. Al principio la vida fue dura, pero trabajaron mucho para empezar una nueva vida. Los García se sintieron especialmente orgullosos cuando nació su tercera hija, Estelle, exactamente tres años después del día que llegaron sin apenas dinero a los Estados Unidos.

Las niñas crecieron hablando español en casa e inglés en la escuela. A todas les fue bien y se casaron después de terminar la escuela. María, la mayor, era la que vivía más cerca de sus padres. Sus dos hermanas vivían a varias horas de distancia, pero aún les visitaban varias veces al mes.

Cuando la señora García tuvo por primera vez hipertensión, fue María la que se aseguró de que tuviera un buen médico y la que le administraba la medicación. Cuando la señora García sufrió la primera trombosis, sus tres hijas fueron al hospital y atendieron a su padre, que entonces tenía setenta años, durante los primeros meses de la recuperación de su esposa. Los dos años siguientes la señora García sufrió más ataques leves y aumentaron sus problemas de memoria. Finalmente, María llevó a su madre a otro examen médico por consejo de Lourdes, que había estudiado Farmacia. Allí supieron que la señora García tenía una demencia moderada-grave, consecuencia de los pequeños ataques de su cerebro.

La señora García dormía poco por la noche y cabeceaba durante el día. Sin embargo, cuando estaba despierta, vagaba por la casa protestando y maldiciendo. La situación empeoró tanto que el señor García le comentó a María que quería trasladarse a un apartamento. De hecho, un día se marchó dejando a la señora García sola y no regresó en dos días.

María les dijo a sus hermanas que tendrían que turnarse para estar con su madre de forma que siempre hubiese alguien con ella. Esto funcionó durante unas semanas, pero después Lourdes y Estelle empezaron a desafiar a María. La respuesta de María fue enfadarse y trasladar a su madre a su propia casa. Llamaba a sus dos hermanas todos los días para culparlas por no cuidar de su madre. Lourdes y Estelle buscaban un buen asilo para su madre, y les molestaba que María les exigiese constantemente que hiciesen turnos para cuidarla.

María se encontró sola, separada de su madre por la demencia y de sus hermanas por su incomprensión. Descargaba su ira con los médicos de la clínica por no administrar más medicación a su madre o «al menos mantenerla sedada y tranquila». Un día, tras tres meses de angustia en los cuales tuvo que contratar a cinco auxiliares diferentes, María acudió a la clínica desesperada. Sólo entonces fue posible reunir a las tres hermanas para elaborar una estrategia común para unir a la familia.

Cuando hay otros miembros de la familia que pueden ayudarte, es importante saber cómo implicarles. Habla con ellos sobre tus recursos e implica a todos los que sean apropiados para plantear una estrategia. Reunir a la familia puede evitar la confusión del «él dijo-ella dijo» que tiene una influencia muy negativa en la comunicación.

En la reunión, describe el problema que te preocupa y comparte tus expectativas con tus hermanos. Deja que hagan lo mismo. ¿Tienen tus hermanos otros problemas que están originando una suma de tensiones? Si otros miembros de la familia están enfermos puede que necesites adaptarte a sus necesidades al menos durante algún tiempo.

Al principio puede que te resulte difícil ponerte en contacto con tus hermanos. Sería más fácil hacerlo tú solo. En realidad, muchas de las personas que cuidan de sus padres dicen que preferirían hacer todo el trabajo en vez de implicar a otros miembros de la familia. Pero es precisamente este tipo de idea lo que puede llevarnos a tener problemas graves. La tarea de cuidar de tus padres puede parecer interminable, y el truco es encontrar la mejor forma de trabajar juntos como un equipo, incluyendo a la persona que está enferma. En el siguiente capítulo trataremos esto, y en lo que queda de éste analizarás tu relación con los profesionales implicados en el cuidado de tus padres.

ESTABLECER UNA ASOCIACIÓN CON LOS PROFESIONALES

Si estuvieras proyectando un negocio con varios socios y todos compartierais los riesgos, las responsabilidades y los beneficios, sin duda os harías muchas preguntas unos a otros. El mismo principio se aplica cuando estás estableciendo una asociación con médicos, abogados y otros profesionales.

Puede resultar frustrante e irritante hablar con médicos y otros especialistas, con abogados y con personal de servicios sociales. Mucha gente tiene miedo de hacer preguntas a aquellos que perciben como figuras de autoridad. Aunque todavía no te hayas dado cuenta, observarás que muchos profesionales no se comunican eficazmente con sus clientes. Puesto que la comprensión del problema y la comunicación con los que pueden ayudar son cruciales, es importante que tengas confianza en que puedes pedir tranquilamente la información y los servicios que necesitas.

Proponemos siete puntos para que los tengas en cuenta en estas situaciones:

1. *Deja que los profesionales con los que tratas sepan que tú, tus padres y otros miembros de la familia estáis trabajando juntos para afrontar los problemas.* Asegúrate de poder obtener información confidencial, si es necesario con permiso oral o escrito de tus padres. Si es necesario, consigue un poder notarial para que nadie piense que violas la confidencialidad de la relación de un profesional con tus padres.

   Escribe las preguntas antes de la reunión y luego hazlas. Si los profesionales no se toman tiempo para responderlas o si no te dan cita para dedicarte el tiempo necesario, esto puede ser signo de que existe un problema. Si los profesionales están «demasiado ocupados» para hablar contigo, puede que debas plantearte si son los más adecuados para tus necesidades.
2. *Pregunta a los médicos y a otros especialistas qué libros y otros materiales pueden ayudarte a comprender determinados problemas o cuestiones.*
3. *Aunque tengas un médico de familia y especialistas apropiados, recuerda que hay otros individuos con experiencia que pueden ayudarte.* Aquí se incluyen los farmacéuticos, optometristas, audiometristas, así como especialistas en servicios de apoyo a la familia y servicios de ayuda domiciliaria.
4. *Anima a tus padres a tener una actitud positiva hacia sí mismos.* No son sólo pacientes. Deberían estar activamente implicados en su propio cuidado médico, en la toma de decisiones familiares y en la elección de su estilo de vida y vivienda. Tú y los demás podéis ayudar, pero ellos son los protagonistas de estas aventuras. Trata de no asumir la toma de decisiones a menos que sea absolutamente necesario.

5. *Si es necesario, sé asertivo.* Haz preguntas inteligentes a los profesionales que atienden a tus padres y fíjate en si estás obteniendo respuestas apropiadas o te están mandando a paseo. No serás capaz de controlar las cosas si no obtienes la información que necesitas. Puedes ser asertivo sin ser hostil ni estar enfadado.
6. *Crea una atmósfera de confianza, respeto y comunicación.* Escucha lo que los profesionales te están diciendo. No temas pedirles que repitan o expliquen más claramente lo que no entiendas. Deja que terminen de hablar antes de interrumpirles.
7. *Sé educado y paciente pero persistente.* Es probable que necesites hablar con muchos profesionales para conseguir la información o la ayuda que necesitas. No te rindas. Si quieres lograr la ayuda adecuada es necesario que seas un buen detective.

Una nota sobre los médicos

Puede que sepas que tus padres tienen un buen médico porque te sientes cómodo con él. Pero tampoco es raro que los hijos estén molestos, disgustados e incluso enfadados con el médico de sus padres. Puede que le escuches decir «no hay nada que hacer», «es la edad» o algo parecido. No tengas miedo a pedir una segunda opinión, y búscala en otro lugar. Si has tenido una mala experiencia con un médico o te sientes inhibido, tímido o incapaz de beneficiarte de su experiencia, encuentra a alguien en quien confíes y que confíe en ti.

Si quieres estar tranquilo, es esencial que tengas un buen médico al que puedas confiar el cuidado de tus padres. William Haley, Jeffrey Clair y Karen Saulsberry,[9] en su trabajo sobre psicología y sociología del cuidado, han creado una encuesta para ayudar a las personas que cuidan de sus padres a juzgar a

9. William E. Haley, Clair, Jeffrey M. y Soulsberry, Karen, «Family Caregiver Satisfaction With Medical Care of Their Demented Relatives», *The Gerontologist,* 1992, 32: 219-226.

los médicos que cuidan de éstos. Lee las siguientes afirmaciones y piensa si alguna de ellas describe tu experiencia con el médico de tus padres. Tus respuestas revelarán si estás satisfecho con él.

- El médico reunió el historial completo de tus padres y después te entrevistó a ti.
- El médico os dijo todo lo que tú y tus padres queríais saber.
- El médico parecía experto en los problemas de tus padres.
- El médico preguntó por la medicación que tomaban tus padres, la dosis y el motivo por el que la estaban tomando, y quiso saber qué otros profesionales les atendían.
- El médico explicó el propósito y los resultados de las pruebas médicas.
- El medico te comunicó el diagnóstico y te dio algunas explicaciones sobre los problemas de tus padres.
- Después de hablar con el médico, tú y tus padres tuvisteis una idea clara de si la enfermedad era grave o no.
- El médico os habló sobre los diversos tratamientos existentes.
- El médico explicó la enfermedad de forma que tú y tus padres supierais a qué ateneros.
- El médico explicó detalladamente el objetivo de la medicación prescrita y cómo tomarla.
- El médico respondió a todas tus preocupaciones.
- El médico os dedicó tiempo a ti y a tus padres.
- Te sentiste comprendido por el médico.
- El médico te hizo sentir que eras importante o al menos no se libró de ti como si fueses una especie de intruso entrometido.
- El médico os dio la oportunidad de decir lo que pensabais.
- El médico proporcionó o sugirió material de lectura específico sobre el problema médico.
- El médico te preguntó cómo ibas afrontando el estrés.
- El médico os pidió vuestra opinión sobre la aplicación de los tratamientos médicos.
- El médico reconoció tu contribución.

- Te sentiste libre para hablar sobre los problemas familiares.
- El médico te hizo sentir competente.
- El médico dijo que no estaba seguro de algo y que lo comprobaría.

No tienes que puntuar estas afirmaciones. Las presentamos aquí para darte la oportunidad de pensar sobre las experiencias que has tenido con los médicos de tus padres. Tus respuestas pueden ayudarte a decidir si tus padres necesitan a otra persona que se preocupe por ellos y por ti.

La planificación económica

Muchas enfermedades pueden afectar a la capacidad de la persona para manejar las cuestiones económicas. La creciente complejidad para tomar decisiones en este terreno es una de las razones por las que los servicios financieros y personales están creciendo por todo el país, para ayudar a los ancianos a pagar sus facturas, leer su correo, pagar sus impuestos, mantenerse al día de los seguros, hacer la contabilidad y planificar las inversiones.

Si vives cerca de tus padres puedes ayudarles. Pero si vives lejos o no quieres implicarte en sus asuntos económicos, llama a una asesoría o a una organización para pedir ayuda.

La siguiente lista puede ayudarte a organizar tu trabajo con tus padres en lo que respecta a su situación financiera. Guarda esta hoja de trabajo y repásala cada año para analizar su evolución económica.

Muchas personas mayores, sobre todo las que tienen problemas de memoria, se convierten en presas fáciles de personas que les influencian negativamente. Con frecuencia se engaña a los ancianos. Es importante que conozcas los activos de tus padres para detectar cualquier variación anormal en los mismos. En algunos casos puede ser necesario contactar con el Fiscal General del Estado.

Valores (Lo que poseen)

1. Plan de Jubilación	___________
2. Dinero en el banco	___________
.3. Otras inversiones (fondos, etc.)	___________
4. Capital mobiliario (acciones etc.)	___________
5. Bienes inmuebles (valor de mercado)	___________
6. Otras inversiones (antigüedades, intereses)	___________
7. Valor neto de otros negocios	___________
8. Valor de mercado de la vivienda	___________
9. Valor del seguro de vida	___________
10. Propiedades personales: muebles, joyas	___________
11. Automóvil(es)	___________
12. Otros valores diversos (cajas de seguridad, dinero que te deben)	___________
13. Total 1-12:	___________

Pasivo (Lo que deben)

14. Hipoteca	___________
15. Impuestos	___________
16. Créditos para el automóvil	___________
17. Otros créditos	___________
18. Deuda (ej.: tarjetas de crédito)	___________
19. Total deudas: suma las líneas 14-18	___________
20. Valor neto: resta la línea 19 de la línea 13	___________

También puede ayudarte trabajar con tus padres para rellenar un impreso de gastos personales. El siguiente es una guía para tu uso.

Gastos

1.	Vivienda (hipoteca, renta, impuestos)	________
2.	Servicios (electricidad, agua, gas, teléfono, etc.)	________
3.	Transporte	________
4.	Reparaciones	________
5.	Comida	________
6.	Pagos	________
7.	Ropa	________
8.	Seguros (propiedad, automóvil, salud, vida)	________
9.	Pagos de tarjetas de crédito, préstamos	________
10.	Ocio (entretenimiento, deporte, aficiones)	________
11.	Vacaciones	________
12.	Gastos diversos	________
13.	Ahorros e inversiones para la jubilación	________
14.	Impuestos	________
15.	Contribuciones	________
16.	Total gastos: suma las líneas 1-15	________

Cómo manejar los conflictos

¿Has estado alguna vez en alguna de las siguientes situaciones?

- Tus padres te acusan de no hacer lo suficiente, aunque les has visitado varias veces a la semana y has hecho todo lo que has podido. *¿Cómo puedes mantener la calma y hacer que te entiendan?*
- Mientras hablas con tu jefe sobre la necesidad de tener tiempo libre para ayudar a tu padre, él te acusa de no ser lo suficientemente productivo como para poder ausentarte más. *¿Cómo puedes estar tranquilo, cuidar de tu padre y conservar tu trabajo?*
- Mientras tú, tus padres y otros miembros de la familia estáis

hablando con el médico, tu hermano te interrumpe y te critica por no haber terminado de explicar algo. *¿Cómo puedes responder sin mostrarte enfadado?*

- Estás hablando con tus padres sobre la posibilidad de trasladarles a una comunidad para jubilados. Después de terminar, ambos sonríen y dicen «no» educadamente. *¿Qué respuesta puedes darles para continuar discutiendo el tema sin que se enfaden?*
- Estás hablando con el médico de tus padres, y éste señala que tu padre es una persona nerviosa y que no hay signos de que tenga un problema emocional. La falta de sueño, la pérdida de peso y la ansiedad que manifiesta tu padre son sólo el resultado de su preocupación por un posible problema de corazón. Tú tienes buenas razones para pensar que tu padre tiene una depresión grave. *¿Cómo te enfrentas al médico sin molestarle?*

Éstos son sólo algunos ejemplos de las muchas confrontaciones que pueden surgir, y tú sabes cómo te hacen sentir. La mayoría de las decisiones sobre el cuidado de los padres implican una negociación. Las preguntas a las que debes responder son: ¿Con qué eficacia estás negociando? ¿Puedes aprender a ser más eficaz?

Te guste o no, tú y tus padres tendréis que negociar entre vosotros y con otros miembros de la familia respecto a muchos servicios diferentes, y probablemente entrarás en conflicto con la gente que te ayuda. Tu forma de manejar esos conflictos afectará no sólo a la posibilidad de resolver los problemas, sino también a lo satisfecho que estés con las soluciones.

La negociación es el arte de conseguir una solución satisfactoria para ambas partes. Durante el proceso de cuidado, tú y tus padres compartiréis información, tiempo, comprensión, ayuda en tareas concretas, control, amor, seguridad y una sensación de logro. Puede que también quieras obtener estas mismas cosas de los profesionales de la salud y otros.

Como ya hemos mencionado muchas veces, cuidar de los padres mientras se está atrapado por múltiples exigencias crea conflictos en ti y entre tú y el resto de la gente. La forma de enfocar la resolución de un conflicto tiene una influencia importante en el resultado. La resolución satisfactoria de un conflicto depende de lo bien que reconozcas el peligro potencial del conflicto antes de que éste explote, de si estás seguro de poder manejar situaciones de conflicto, de lo bien que conoces tu forma de manejar los conflictos interpersonales, de tu nivel de comprensión de las expectativas y estilos interpersonales de las personas con las que estás trabajando y de tus propias habilidades de dirección y negociación de conflictos.

Evalúa tu necesidad de negociar

Lee la siguiente lista y señala a los individuos con los que tienes conflictos. Después rodea con un círculo el grado de gravedad del conflicto.

	Bajo	*Medio*	*Alto*
Madre	1	2	3
Padre	1	2	3
Suegra	1	2	3
Suegro	1	2	3
Hermano(s)	1	2	3
Hermana(s)	1	2	3
Hijos	1	2	3
Otros parientes	1	2	3
Médicos(s)	1	2	3
Enfermera(s)	1	2	3
Otros profesionales de la salud	1	2	3
Asistenta	1	2	3
Asistente domiciliario	1	2	3
Compañeros de trabajo	1	2	3
Otros individuos:			
______________	1	2	3
______________	1	2	3
______________	1	2	3
______________	1	2	3

Si has señalado a dos o más individuos con los cuales el nivel de conflicto es un 3, te conviene examinar el punto en cuestión así como tus habilidades de negociación. Si lo intentas, puedes convertirte en un negociador con éxito.

Consejos para que la negociación tenga éxito

Existen diversos libros, escritos por expertos en negociación y resolución de conflictos, que pueden ayudarte a desarrollar esta habilidad. Si quieres invertir algún tiempo y energía para ser realmente bueno merece la pena que leas estos libros. Leer te ayudará a tratar constructivamente con aquellos individuos o situaciones en las que se presentan conflictos.

1. *Acepta que generalmente los conflictos surgen cuando las personas afrontan cambios complejos en su vida personal o profesional.* Existen formas constructivas de hacer frente a los conflictos si puedes aceptar una resolución satisfactoria para todas las partes. Recuerda que el conflicto puede surgir como una respuesta natural cuando la gente no sabe cómo encaja en una estructura superior. Hay una historia sobre tres hombres que estaban poniendo ladrillos. Cuando le preguntaron al primer hombre: «¿Qué estás haciendo?», éste respondió: «Estoy poniendo ladrillos». El segundo hombre respondió: «Estoy construyendo un muro», y el tercero respondió: «Estamos construyendo una iglesia para nuestra comunidad». Todas las respuestas eran correctas, pero el tercer hombre era el que estaba más motivado para hacerlo bien porque era el único que tenía presente el objetivo último de lo que estaban haciendo.
2. *Esta regla se aplica, con alguna variación, al cuidado de tus padres.* Necesitas comprender las necesidades, deseos y expectativas de los demás. Por tanto, es preciso que te hagas las siguientes preguntas: «¿Por qué están implicados los demás? ¿Cuáles son sus necesidades y objetivos? ¿Son estos objetivos sincrónicos con los míos? ¿En qué nos diferenciamos? ¿En qué nos parecemos? ¿Cómo

puedo hacer que la gente se dé cuenta de que se necesitan unos a otros?».

3. *Mantén la calma.* Haz lo que debes hacer cuando estás en una situación que causa estrés. Haz tres respiraciones profundas para recuperar el autocontrol antes de hacer nada. Si crees que te estás metiendo en problemas, tómate tiempo libre para pensar en lo que debes hacer antes de actuar. Muchos conflictos se deben a que la gente se precipita sin pensar lo que hace.
4. *Actúa como si estuvieses hecho de teflón.* Prepárate para afrontar el dolor, pero intenta que no se te pegue nada. Cuando la gente está preocupada dice muchas cosas desagradables sin pensarlo. No te fijes en ellas. Atribúyelas al calor de la discusión. Los padres criticarán a sus hijos y los hijos criticarán a sus padres debido a esta situación de angustia. No lo tengas en cuenta, porque cuando un anciano padece una enfermedad cerebral con frecuencia utiliza un lenguaje sucio e insultante. Es habitual que en estas situaciones los hijos digan: «No podía creer lo que estaba oyendo. Ni siquiera sabía que mi madre conocía esas palabras. ¿Cómo pudo llamarme ________? No creo que pueda superarlo». Muchas personas con una lesión cerebral como la enfermedad de Alzheimer no pueden controlar sus propias reacciones a la frustración, la ira y la rabia. Sus impulsos superan al autocontrol, y no pueden controlar sus emociones. Sus palabras surgen de una forma emocionalmente exagerada, causando una gran impresión. Pocos minutos después parece como si no hubiese ocurrido nada. Si pierdes el control, respira profundamente, aléjate y después vuelve y pide perdón. Si tus padres u otros te insultan, acéptalo y prepárate para tranquilizarte y concentrarte en resolver el problema.
5. *Acepta estar en desacuerdo.* No todos los problemas tienen una solución que todos puedan aceptar. Si esto ocurre, trata de reformular el problema para ver si hay otra forma de resolverlo. Si no es posible, acepta el desacuerdo.
6. *Acepta que puedes ser vulnerable.* Si no lo aceptas puedes originar un conflicto. A veces la ira que lleva a una si-

tuación tensa se expresa a través de la irritabilidad, la obstinación o las palabras airadas. Tu hostilidad puede ser pasiva, y puede que sabotees la situación inadvertidamente. Generalmente lo mejor que puedes hacer para manejar tu propia irritación es ser humilde.

Curiosamente, ésta no es una mala forma de abordar problemas. Por ejemplo, cuando rezas admites tu vulnerabilidad y aceptas que eres parte de un universo más amplio. Recuerda que hagas lo que hagas, formas parte de una estructura superior que da significado a la vida. A veces, adoptar esta actitud puede ayudar a reducir tu ira y a desviar una situación potencialmente destructiva y combativa.

Una técnica que puede ser eficaz es encontrar tu sitio en la naturaleza. Cuando estés atrapado en situaciones muy tensas y difíciles trata de acercarte a una ventana y admirar lo bella que es la naturaleza. Sé consciente de que en un millón de años tu problema será olvidado, pero la belleza de lo que estás viendo permanecerá. Montañas, lagos, océanos y llanuras llevan consigo el mensaje de que nosotros y nuestros problemas somos insignificantes en el tapiz de nuestro mundo. Poner los problemas en esta perspectiva más amplia puede ayudarte.

Tres tipos de actividad

Si el objetivo final es actuar colaborando con otros, probablemente serán precisos diferentes tipos de actividad en diferentes situaciones y con personas distintas. Cuando estás trabajando con otras personas para cuidar de tus padres hay al menos tres tipos básicos de tarea que puedes realizar. Una actividad es la investigación: recoger información y encontrar servicios y programas de ayuda. El segundo tipo de actividad consiste en dar una respuesta de emergencia u orientada a la crisis cuando repentinamente ocurre un problema grave: una enfermedad, un accidente o una emergencia que amenaza la seguridad y bienestar de alguien. Por último, el tercer tipo de tarea implica tratar de forma práctica con los acontecimientos y circunstancias a lo largo de un prolongado período de tiempo.

Cómo investigar un problema

Por simple que parezca, encontrar información es una de las tareas que más tiempo consume. ¿Cómo encontrar un buen médico, un hospital, un asilo o un piso tutelado? ¿Qué servicios pueden ayudar a tus padres a vivir independientemente en casa? ¿Cómo puedes conocer las coberturas de las pólizas de seguro? ¿Dónde puedes acudir para que tu madre reciba un buen tratamiento para sus múltiples problemas de salud? ¿Cómo puedes obtener información sobre la esclerosis múltiple, la enfermedad de Alzheimer u otras enfermedades?

Cuando reconoces por primera vez la existencia de un problema necesitas obtener información fiable. Si un médico te ha dado ya un diagnóstico, podrías querer una segunda opinión de otro especialista. Si el médico ha diagnosticado la enfermedad de Alzheimer a uno de tus padres, necesitarás información sobre lo que puede pasar y sobre cómo puedes organizar tu vida alrededor de alguien que empeora lenta pero progresivamente. Por ejemplo, si el médico te ha dicho que a tu padre le queda poco tiempo de vida, puede que quieras tener información sobre asilos y otras alternativas. Si tus padres quieren trasladarse a un piso tutelado necesitarás conocer las características y el coste de varios pisos.

Las actividades de investigación son una parte importante del proceso de cuidado. Habitualmente no hay una forma fácil de obtener la información necesaria, y probablemente necesitarás sobre todo persistencia y paciencia. Planificando y pensando sobre la cuestión descubrirás lo que quieres saber. Si abandonas el problema éste persistirá, y estarás cada vez más preocupado. La información que recojas puede servirte de base para realizar otras acciones.

Para encontrar la información que necesitas piensa en lo siguiente:

1. Si alguno de tus padres tiene una enfermedad concreta,

busca una organización nacional especializada en esa enfermedad. Llama y pregunta por profesionales cualificados y por los servicios de tu zona.
2. Cada comunidad tiene una oficina de Servicios Sociales.
3. Pregúntale a tu médico o a una enfermera dónde te pueden informar. También puedes preguntar en la biblioteca.
4. Prepárate con antelación. Consigue los nombres y números de teléfono de las personas y asociaciones especializadas en el cuidado de los ancianos. Guárdalas en el escritorio. Tener esta información práctica a mano puede ahorrar tiempo y problemas en el futuro.

Cómo actuar en una emergencia

Todos tenemos que afrontar crisis, bien sean accidentes, enfermedades u otras emergencias en el hogar, en el trabajo o en la escuela. En una emergencia los acontecimientos pueden ocurrir rápidamente y las vidas humanas pueden estar en peligro. La situación parece inestable e impredecible. Es necesario actuar rápido para contener o eliminar el peligro.

Las características de las emergencias son las siguientes:

- Existe amenaza de peligro o daño.
- La situación es inestable e impredecible.
- La situación avanza rápidamente.
- Es necesaria una acción urgente.
- La situación es muy tensa.

Las siguientes pautas pueden ayudarte en una emergencia.

1. Valora la situación con tanta exactitud como puedas. Si es posible, haz que otros confirmen tu valoración. No confíes en los rumores.
2. Trata de determinar lo que ocurriría si las cosas continuasen sin control.
3. Valora el peligro potencial para las personas directamente implicadas.
4. Centra tu atención. Determina a quién y qué necesitas para

ayudar y tomar decisiones y no dediques mucho tiempo a las personas o problemas que no estén directamente relacionadas con la emergencia.

5. Evita realizar acciones inconscientes. Pueden empeorar las cosas. No actúes basándote en impulsos emocionales sin la información que apoye la acción.
6. Elige una estrategia, pero prepárate para cambiarla si no funciona.
7. Evalúa la situación cada cierto tiempo, aunque no parezca haber ocurrido nada nuevo.
8. No te asustes, y no dejes que los demás se asusten.
9. Si no puedes controlar tus sentimientos y acciones, encuentra a alguien que haga lo que hay que hacer.

Cómo ser práctico

El objetivo de la acción práctica es utilizar el sentido común y descubrir lo que puedes hacer. La acción pragmática puede implicar conductas insignificantes a primera vista, pero que son útiles: Ves lo que hay que hacer y lo haces. Tu madre está en la cama del hospital con restos de comida en los labios, por eso coges una servilleta húmeda y la limpias. Tu padre se mueve despacio hacia el ascensor con el andador y le pides a alguien que sujete la puerta hasta que entre. Estas conductas simples, aparentemente obvias, forman un estilo de acción para hacer que ocurran las cosas. Ser pragmático lleva a ser eficaz, a conseguir hacer las cosas. Significa utilizar los recursos que tienes para hacer lo que es necesario o, si no los tienes, para hacer todo lo que puedas con lo que tienes mientras tratas de conseguir lo que te hace falta. A lo largo del proceso de cuidar de los padres, es conveniente que te preguntes de vez en cuando: «¿Hay alguna forma de ser más eficaz?».

Hacer lo correcto como mínimo significa tomar la iniciativa y la responsabilidad de implicarse. Si tu primera respuesta no funciona, tienes que ser flexible y encontrar otra. No siempre hay una sola forma de hacer una tarea, y a veces lo más apropiado es no hacer nada más que esperar. Necesitas conservar la calma y tomar decisiones prácticas a medida que avanzas. En realidad puede ser el momento de dejar los libros que has leído y guiarte por tu intuición basada en tu sensibilidad.

Los siguientes pasos te ayudarán a ser práctico:

1. Valora la situación: qué es lo que está mal, qué tiene que pasar, y quién puede ayudar.
2. Haz cualquier cosa que sea razonable para mejorar, y consigue ayuda si es posible.
3. Toma la iniciativa. No esperes a que aparezca una respuesta perfecta.
4. Mantén tu autocontrol.
5. Observa los cambios en la situación.
6. Sé flexible. Cambia tus tácticas si es necesario.
7. Piensa a largo plazo. Uno de los secretos del éxito en las carreras de larga distancia es marcarse un ritmo. Resuelve los problemas inmediatos, pero recuerda los objetivos a largo plazo. Piensa en la necesidad de mantener tus recursos mientras actúas para resolver los problemas hoy.

A LARGO PLAZO

Crear y mantener asociaciones significa cuidar de ti y de los demás durante largo tiempo. El arte de cuidar de tus padres requiere que descubras formas de aumentar tu eficacia para responder a las necesidades de todos mientras atraviesas los desafíos del cuidado. Recibirás duros golpes mientras tratas de mantenerte en tu camino. El siguiente capítulo explica cómo puedes aprender a equilibrar las necesidades de tus padres y las del resto de la familia.

5

Equilibrar necesidades y recursos

Es imposible aprender a cuidar eficazmente de tus padres en un cursillo acelerado. En cualquier caso, seguir un curso acelerado es una estrategia equivocada. La eficacia es un objetivo a largo plazo. Se aprende a ser eficaz mediante la adquisición de información y experiencia. Existe todo un cuerpo de conocimientos sobre las distintas estrategias para llevar a cabo acciones eficaces, y puesto que con frecuencia el cuidado de los padres se prolonga muchos años, tienes tiempo para aprenderlo. Tendrás éxito en los períodos en los que seas capaz de equilibrar las necesidades de tus padres, las tuyas, y las del resto de la familia. Es probable que también pases por períodos en que tengas menos éxito al hacer juegos malabares con todo lo que hay que hacer.

A menudo el cuidado de los padres parece presentar una serie interminable de problemas insuperables cuyo número y magnitud resulta muy agobiante, y quizá no te des cuenta de que puedes obtener ayuda para afrontar estos problemas. Puede que tus padres tengan personalidades difíciles. Tu propio ritmo de vida puede ser agotador con el trabajo, la familia y las obligaciones personales. La historia de Melissa Adams ilustra la increíble presión y la complejidad que implica tratar de satisfacer las necesidades de toda la familia, así como el desafío que supone seguir siendo eficaz cuando esta presión dura mucho tiempo e implica a mucha gente.

Empezaremos con una carta que Melissa escribió a su madre tras no poder asistir a su funeral. Es parte de un diario que escribía y en el que hacía comentarios dirigidos a su madre.

Querida mamá:

Es la 1.00 de la madrugada, y estoy muy triste por no poder estar contigo. Los médicos no me dejan salir del hospital, y me encuentro muy mal después de la operación de columna vertebral.

Por eso te escribo para decirte adiós. Le pedí al sacerdote que leyese en el cementerio mi poema favorito de tu último libro para que supieses que estaba contigo.

Debo sentirme contenta por haberme liberado de la horrible enfermedad de Alzheimer que te trastornó durante años. Espero que encuentres la paz ahora que se ha terminado.

Vete mirando cómo es el cielo, porque Bobbie se te unirá pronto. Nunca supiste que tenía sida. Es lo único bueno que la enfermedad de Alzheimer hizo por ti. Evitó que vieras morir a tu hijo pequeño.

Mamá, te echo mucho de menos. Me alegro de que haya acabado tu sufrimiento, pero me duele saber que nunca volveré a verte. Siempre me diste mucha fuerza y ahora te necesito más que nunca.

Melissa escribió esto para intentar manejar las intensas emociones que la agobiaban. Años después continuó escribiendo el diario, considerándolo su «manual de supervivencia». Lo necesitó para conservar su salud mental durante los años en que la enfermedad y la muerte estuvieron presentes en su familia: el sida de su hermano Bobbie, la enfermedad de Alzheimer de su madre, el cáncer de su hermana, la trombosis de su padre, el problema de alcoholismo de su marido y su propia lucha para recuperarse de dos operaciones de columna vertebral.

Melissa había cuidado de su madre eficazmente. Cuando su madre, Charlotte Sarton, empezó a sufrir la enfermedad de Alzheimer, Melissa heredó su papel de centro emocional de la familia. Se parecía mucho a su madre, y se convirtió en la persona que cuidaba de todos. Incluso cuando tuvo que ingresar en el hospital para ser operada dejó todo bien organizado. Buscó a alguien para que cuidase de su padre, de su hermano Bobbie y de su hermana Marcie. Melissa atribuía su capacidad para cuidar de todos a la influencia de su madre:

Mamá me daba fuerzas y aunque ahora está muerta, aún es un modelo para mí. Su espíritu está muy vivo. Le escribo todos los días y con frecuencia le hablo en voz alta... Sé que me está escuchando. Necesito que me ayude a aclarar las cosas... Mamá es la única que me escucha ahora. Todos los demás están enfermos.

La mayor parte de los miembros de su familia estaban enfermos. Su padre continuó viviendo en casa tras la trombosis, con la ayuda de una asistenta y visitas semanales de una enfermera. Marcie tenía de un 40 a un 60 por ciento de posibilidades de sobrevivir al tumor cerebral. El sida de Bobbie le rompía el corazón.

Tras las operaciones a las que fue sometida, Melissa necesitó ayuda para casi todo: bañarse, vestirse, ir al aseo, y para hacer cualquier cosa. Tenía muchos amigos que la ayudaron. Era fácil cuidar de Melissa excepto por una cosa: sus interminables conversaciones con su madre. Las «conversaciones» de Melissa con su madre asustaban a sus amigos, porque parecía que Melissa se estaba retirando a un mundo de ensueño.

Melissa sabía que su obsesión con el recuerdo de su madre ya no le era útil. Se había convertido en una vía de escape para el dolor y la pena que le producían las numerosas tragedias familiares. Aferrarse a su madre había sido un «salvavidas» emocional para Melissa, quien siempre había sido capaz de manejarlo todo y a todos. Ahora, por primera vez en su vida, estaba cansada y enferma, y se sentía incapaz de seguir adelante. Cuidar de todos durante los siete años que habían transcurrido desde que su madre había enfermado había agotado sus fuerzas. Melissa estaba convencida de que su meningitis medular se debía precisamente al agotamiento. Había leído que el estrés afecta al sistema inmunológico, y se preguntaba si habría enfermado si hubiese cuidado un poco más de sí misma.

Al principio Melissa se había cuidado y había trabajado unida a su madre. De hecho, parecía que Melissa estaba haciendo lo correcto. Estaba convencida de que para su madre era importante «dirigirlo todo» desde el principio. Durante las numerosas horas que Melissa y su madre pasaron juntas esperando los resultados de pruebas diagnósticas, las dos hablaron sobre el futuro y sobre lo que harían si la señora Sarton tenía la enfermedad de Alzheimer.

El día que el doctor confirmó sus peores temores, Melissa llevó a su madre a comer fuera. Melissa sabía lo asustada que estaba su madre. Las pérdidas de memoria habían estado afectando al papel que tanto valoraba. La señora Sarton siempre había cuidado de los demás, y sabía que algún día ya no sería capaz de hacerlo. Melissa describió su conversación de esta manera:

> Le dije a mamá que aún era el centro de nuestra familia y que la ayudaría a continuar siéndolo. Ella me había ayudado tanto que era justo que me permitiera devolverle algo.
>
> Acordamos celebrar una reunión familiar durante la cena para hablar sobre su futuro. Era importante para ella preparar toda la comida, aunque quería que yo la acompañase... La llamó «la última cena».
>
> Temblé cuando la oí decir «mi última cena». Ella se rió y dijo que necesitaba afrontar la enfermedad a su manera. Ésta sería «su» comida, no una preparada por otra persona. Antes de empeorar quería hacer una de las cosas que mayor placer le daba: cocinar para todos.

La cena familiar marcó el comienzo de lo que la señora Sarton denominó «vivir con la palabra Alzheimer». Esa noche la familia estaba demasiado preocupada por el diagnóstico y no pudo empezar a hablar sobre un plan coherente. Fueron necesarias varias reuniones juntos así como largas entrevistas con el médico para que entendieran lo que significaba vivir con la enfermedad de Alzheimer.

Desde el principio Melissa asumió tareas ejecutivas y organizadoras. Era la que reunía a la familia, la que compartía la información de los médicos, la que ayudaba a identificar los problemas y la que animaba a los demás a hacer sugerencias. Tratar de implicar al resto de la familia no era fácil. Melissa era la mayor de cuatro hijos. Aunque tenía buenas relaciones con Marcie y su otro hermano, Arnold, ambos expresaban un ligero resentimiento porque parecía que Melissa estaba «tomando el mando». El problema surgió pronto en la reunión familiar. Al principio sus hermanos cuestionaron algunas decisiones, y después cuestionaron incluso el diagnóstico. «¿No necesitamos otra opinión?», preguntó Marcie, quien propuso que se hiciese otro análisis «por si no han visto algo». Hacían las preguntas sobre el curso de la enfermedad y sobre lo que debían hacer de forma desafiante. Finalmente, cuando la señora Sarton dejó la habitación, Marcie dijo: «Dime cómo es que de repente lo diriges todo». Arnold trataba de no ponerse del lado de ninguna de sus hermanas, pero parecía estar preguntándose lo mismo.

Melissa se sintió herida, pero se contuvo y no respondió a Marcie, aunque éste fue su primer impulso. Quería implicar a sus hermanos en el cuidado de su madre y reducir su propia responsabilidad. Le explicó a Marcie:

> Mamá y yo propusimos esta reunión precisamente para tratar esta cuestión. Por diversas razones hemos pasado más tiempo juntas a lo largo de los años, por eso mamá me pidió que la llevase al médico y tuve que hablar con él. No penséis que os aparté a Arnold y a ti intencionadamente. Nada más lejos de la realidad, por eso os llamaba cada vez que me enteraba de algo. Pero supongo que parezco mandona porque os estoy contando lo que él dijo.

Cuando regresó, la señora Sarton tomó el relevo:

> Hay muchas cosas que quiero hacer antes de perder la lucidez completamente. Todos vosotros significáis mucho para mí, y os necesito junto a mí para vencer a esta enfermedad. Quizá Melissa ha estado más cerca, pero es porque hemos pasado mucho tiempo juntas.
>
> Pero eso no significa que quiera a Melissa más que a vosotros. Conozco a Melissa mejor que vosotros. Antes de perder la cordura quiero que volvamos a ser una familia unida. Me queda muy poco tiempo.

Incluso las familias más unidas y leales experimentan tensiones a lo largo del camino. Melissa sabía que los sentimientos de su hermana estaban basados en unos celos que existían desde hacía mucho tiempo, pero también sabía que esos sentimientos no debían interferir en el problema más importante: las necesidades de su madre. Una de las tareas más difíciles para Melissa y para los demás fue poner límites a lo que cada uno podía y debía hacer. Melissa describió sus sentimientos de la siguiente manera:

> Desde el principio me sentí culpable por no poder hacer lo suficiente por mamá. Fue nuestro párroco el que finalmente me ayudó a ver que no debía sentirme culpable. Hacía todo lo que podía. Estaba satisfaciendo la mayor parte de sus necesidades.

Mi problema era yo... Esperaba poder hacer más. Los sentimientos de culpa aparecían porque pensaba que debía ser capaz de hacerlo todo, y eso era simplemente imposible.

La familia se reunió con el párroco, el reverendo Carter, sin la presencia de la señora Sarton, para poder hablar honestamente sobre los sentimientos y responsabilidades hacia su madre. Desde que se le había diagnosticado la enfermedad a la señora Sarton, todos habían sentido que debían estar con su madre todo el tiempo posible. Aunque la familia siempre había hecho las cosas unida, esto era diferente. El reverendo Carter observó que la familia se estaba comportando como si la señora Sarton se estuviese muriendo o fuese ya incompetente y no pudiese estar sola. Habían detenido sus vidas para estar con ella todo el tiempo. El reverendo Carter comentó que, por lo que él sabía de la enfermedad de Alzheimer, podían pasar años antes de que la señora Sarton estuviese tan débil como para necesitar ayuda constante.

Además, el reverendo también abrió el camino para hablar francamente sobre el hecho de que probablemente la señora Sarton empeoraría, hecho sobre el que ninguno de ellos quería hablar o pensar. Todos estaban profundamente apenados y no podían afrontar sus miedos y ansiedades. Melissa lo describió de esta forma:

Me sentía como si pudiera evitar que empeorase si estaba junto a ella y la protegía. Realmente no podía aceptar que tuviese la enfermedad de Alzheimer. Pensé que necesitaba más estimulación... y mantenerse activa.

Ahora puedo ver que nos estábamos comportando alocadamente. Realmente estábamos empeorando las cosas. Si no hubiese sido por el reverendo Carter hubiésemos terminado tan quemados, enfadados y frustrados que cuando mamá nos hubiese necesitado realmente no habríamos sido capaces de ayudarla.

Nuestra familia aprendió la importante lección de medir el cuidado que mamá necesitaba, no nosotros para mostrar nuestro amor por ella o para satisfacer nuestras propias necesidades. Estábamos haciendo todo por ella porque nos sentíamos heridos, y al final perdimos la perspectiva.

Durante varios años Melissa y su familia lucharon junto a su madre mientras ésta empeoraba progresivamente. Después, la secuencia de tragedias familiares hizo que Melissa tuviese que llevar la carga sola. Se las arregló para seguir adelante durante un tiempo, pero finalmente las exigencias del cuidado unidas a su mala salud le afectaron profundamente. La situación de Melissa ilustra el riesgo más importante del cuidado: si te dedicas a cuidar de tus padres durante largo tiempo y de forma intensiva sin administrar tu esfuerzo tienes muchas probabilidades de poner en peligro tu propia salud. A menos que desarrolles estrategias realistas para protegerte, las exigencias de afrontar los problemas crónicos y la suma de tensiones pueden originar graves problemas de salud física y mental. En el siguiente capítulo describiremos cómo puedes darte cuenta de cuándo corres el riesgo de perder el control. El objetivo de este capítulo es describir ciertas pautas para ayudarte a desarrollar y mantener tu eficacia en el cuidado de tus padres.

Cuatro pautas para mejorar tu actuación

1. Observa detenidamente los problemas y necesidades de tu familia, pero sobre todo sus potencialidades.
2. Encuentra la manera de establecer una buena comunicación con los miembros de la familia y dedica tiempo a hacerlo.
3. Valora la situación desde la perspectiva de todos los implicados. Haz que todos den su opinión en las reuniones familiares.
4. Identifica tareas y formula planes.

Estas pautas constituyen un abordaje general para aumentar la eficacia del cuidado, pero tendrás que modificarlas y completarlas dependiendo de tus propias circunstancias. Cada familia y cada situación son diferentes, y lo que te funciona a ti puede que no les funcione a otros. No todas las familias son capaces de reunirse para hablar sobre las responsabilidades del cuidado. No todo el mundo tiene una familia en la que apoyarse, y no siempre es posible implicar a los padres en la toma de decisiones. Tendrás que valorar cuánto puedes o debes esperar de otros miembros de la familia. Si tus expectativas no se cumplen, es importante que sepas cuál es el motivo. Las tensiones del cuidado pueden llevarte a presionar a otros para que se impliquen, pero puede que ellos se resistan porque tienen miedo o porque no creen que sea responsabilidad suya.

Prepárate para ser criticado por los miembros de la familia por cualquier cosa que hagas. Es bastante habitual. Puede que creas que has hecho algo útil, y sin embargo tus hermanos y hermanas se pongan celosos y te acusen de aprovecharte de tus padres. Pueden acusarte de maltratar a tus padres o de engañarles para beneficiarte económicamente. Éstos son algunos de los momentos en que será más difícil mantener el control. Reconoce que esas acusaciones son la explosión emocional de familiares preocupados que expresan su frustración y su impotencia por no ser capaces de cambiar la realidad de un problema. Encuentra una forma de mantener la compostura, ofrécete para compartir la carga con ellos o pídeles que sugieran un plan de cuidados mejor.

Si los miembros de tu familia permanecen ausentes, se niegan a implicarse o te critican constantemente, puede que hayan aprendido a comportarse así en crisis familiares anteriores. La forma en que unas personas se relacionan con otras se moldea a lo largo del tiempo. Si en el pasado los hermanos y hermanas han estado distantes, no se han implicado en la vida familiar o han sentido celos por el favoritismo de los padres, no debería ser sorprendente que cuando los padres ancianos necesitan ayuda, sean compañeros poco dispuestos o difíciles. Si otros familiares son hostiles o se oponen de forma inflexible a tus sugerencias, piénsalo dos veces antes de montar una escena. Si induces culpa o presionas a otros para obtener ayuda, probablemente provocarás ira y te complicarás más la vida. Quizás estés mejor independizándote y encontrando ayuda fuera de la familia.

Tu familia influye en tu eficacia

Antes de empezar a desarrollar un plan, debes conocer la forma de funcionar de tu familia. Un plan que funciona en una familia puede no hacerlo en otra, porque las personas son distintas. No todas las familias trabajan bien unidas. Es más, para ser eficaz necesitas conocer las virtudes, debilidades y habilidades de todos los que están o pueden estar implicados. Factores como el tamaño y la composición de tu familia; el divorcio, la distancia geográfica, la economía, y conflictos previos; así como la disponibilidad y habilidad de los miembros de la familia para ayudarse unos a otros influencian tu efectividad en la solución de problemas familiares. Lo importante es que tengas unas expectativas razonables sobre lo que tu familia puede hacer basándote en su forma de funcionar. Debería darse a todos la oportunidad de participar, pero la forma de participar puede negociarse. Podría ser más eficaz no implicar a miembros de la familia que no quieren ayudar o que obstruyen tus esfuerzos, pero no debes tomar esta decisión tú solo, compártela con los demás.

Estilos familiares

Existen cinco formas generales o estilos por los que la mayoría de las familias resuelven los problemas: negación, cooperación, alternancia del liderazgo, conflicto y caos. Las familias caracterizadas por una *negación* fuerte no anticipan los problemas, y cuando éstos llegan, actúan como si no ocurriese nada. Los miembros de estas familias encuentran difícil ponerse en marcha. La planificación es un problema. Estas familias parecen estar siempre en crisis, debido a que afrontan las situaciones cuando éstas se han hecho tan graves que ya no es posible negarlas y es necesaria una acción muy rápida.

Las familias con un estilo *cooperativo* buscan afrontar y resolver los problemas en colaboración. Habitualmente son eficaces trabajando juntos y compartiendo las cargas. En parte esto es debido a que mantienen una comunicación y cooperación abiertas.

En el tercer estilo, los miembros de la familia *alternan el liderazgo* en vez de colaborar unos con otros. Las cosas van bien mientras los miembros de la familia están de acuerdo sobre quién tomará el mando durante períodos concretos. No obstante, las discusiones sobre el liderazgo pueden ser nocivas y dividir a la familia.

El cuarto estilo es la *conflictividad*, es decir, una larga historia de desacuerdos y enemistades familiares. Parece imposible que los miembros de esas familias trabajen juntos para solucionar un problema. Cuando una persona avanza los otros la derriban. La ira es generalizada y abundan la inseguridad y el conflicto. Los profesionales tratan de alejarse de estas familias porque perciben mucho rencor.

Finalmente, algunas familias son simplemente *caóticas*. Las relaciones son tan desorganizadas y tan amargas que el cuidado de los padres se convierte en una excusa más para que los miembros de la familia se hieran unos a otros. En algunas familias caóticas los miembros sienten poca hostilidad, pero no se relacionan entre sí. Son un montón de piezas sueltas, no una máquina eficaz.

Puede parecer como si cada familia pudiese ser clasificada en términos de blanco o negro. Obviamente esto no es así. Pocas familias son tan cooperativas que no hay desacuerdos, o tan caóticas que abandonan o maltratan a los padres. Generalmente, las familias muestran una combinación de varios estilos. La relación de algunas familias pueden parecer conflictivas y amargas, y sin embargo, cuando sucede algo que amenaza la vida surge el consenso y se toman decisiones sobre la mejor forma de proceder. Otras familias pueden empezar siendo superficialmente cooperativas, pero cuando aparecen problemas que necesitan sacrificios reales surgen desavenencias familiares que destruyen el proceso de toma de decisiones. Las herencias y testamentos son asuntos que tienen el potencial de crear enfrentamientos familiares, en los que la avaricia se vuelve un problema triste pero real.

No tienes por qué ser licenciado en psicología para identificar el estilo de tu familia. No obstante, deberías recordar acontecimientos del pasado —sin demasiada emoción— y utilizar esta perspectiva para obtener alguna ventaja para el presente. Si en tus relaciones familiares han estado presentes la negación grave, la beligerancia, la conflictividad y las conductas caóticas y airadas, puede que sea conveniente que busques ayuda para tu familia cuanto antes. La ayuda no tiene por qué ser profesional, pero necesitarás que otras personas, bien sean amigos o un sacerdote, actúen como árbitros. Si llegas a la conclusión de que los miembros de tu familia no pueden trabajar juntos, será mejor que te evites dolores de cabeza tratando de implicarles, a menos que sea absolutamente necesario. Aunque inicialmente trates de implicarles, puede que sea mejor que hagas las cosas sin ellos. Manténles informados sin esperar que te den las gracias por lo que haces. De hecho, su ira puede ser tu única recompensa, aparte de tu satisfacción por haber hecho lo correcto.

Si te metes en problemas serios y tus familiares te hacen la vida difícil, busca ayuda profesional. Desgraciadamente, es muy habitual que los hermanos que se han mantenido al margen durante años sin hacer nada para ayudar acusen al miembro de la familia que cuida de los padres de tratar de apoderarse de los bienes o de la herencia de éstos. Ésta puede ser una experiencia traumática, especialmente cuando el adversario es tu propio hermano o hermana. Puede que necesites encontrar un abogado especializado en derecho de familia.

La triste realidad es que esto ocurre. Uno de los principales motivos por el que las familias se reúnen pronto en el proceso de cuidar de los padres es para abordar las cuestiones económicas. Esta discusión debería tratar lo concerniente a los bienes de tus padres. En la actualidad los bancos ofrecen «hipotecas reversibles» en las cuales el individuo recibe un ingreso mensual del banco a cambio de que éste se quede con la propiedad tras su muerte.

Sea cual sea la situación de tu familia necesitaréis dialogar. Las siguientes pautas pueden ayudarte.

CÓMO ESTABLECER UNA COMUNICACIÓN FAMILIAR EFICAZ

Frecuentemente no decimos lo que queremos decir, o no escuchamos exactamente lo que otra persona quiere decir. Como se analizó en profundidad en el capítulo 3, nuestras emociones nublan nuestra habilidad para escuchar y pensar con claridad y con frecuencia reaccionamos basándonos en nuestros sentimientos más que en nuestros pensamientos. No es sorprendente que a menudo los conflictos surjan por malentendidos innecesarios. Las tensiones pueden revivir fuertes contiendas familiares existentes desde hace mucho tiempo, y cuando esto ocurre la comunicación empeora.

Aprender a ser un comunicador eficaz requiere preparación y práctica. Decide lo que quieres decir y luego simplifícalo. Puedes añadir información adicional más tarde, cuando sea necesaria para explicar tus ideas o responder preguntas. También puedes escribir con antelación los puntos que quieres tratar en la reunión.

También es muy útil practicar la «escucha activa». Escuchar activamente significa hacer un esfuerzo para comprender el mensaje o significado subyacente tras lo que otra persona está diciendo, y después comprobar si realmente has interpretado correctamente lo que ha dicho. Con esta técnica evitarás sacar conclusiones precipitadas sobre lo que alguien está diciendo por estar demasiado ocupado preparando tu propia respuesta.

Escuchar de forma activa significa concentrarte en las palabras del que habla y en los sentimientos que hay tras esas palabras. Una forma de hacerlo es cerrar los ojos y escuchar el tono de voz de la persona que habla, su volumen e inflexiones. Observa el lenguaje corporal de una persona, y comprueba si las palabras y la voz se corresponden con la postura y la forma de moverse.

La escucha activa no funciona siempre, pero es una herramienta valiosa. Existen varias formas de facilitar la escucha activa y la comunicación eficaz durante las discusiones familiares.

1. *Pide a los reunidos que hablen de uno en uno sin interrumpirse.* Frecuentemente nos interrumpimos cuando estamos nerviosos, disgustados o enfadados. Anima a la gente a que expliquen sus ideas tan claramente como sea posible, y luego pídeles que escuchen atentamente lo que dicen los demás. Si alguien tiene que decir algo debe pedir permiso. Más aún, si alguien es prolijo, interrúmpele educadamente y pídele que resuma los puntos principales, indicando que tendrá más tiempo para hablar después de que los demás hayan presentado sus argumentos.

2. *Anima a los miembros de la familia a que hablen por sí mismos, y no en nombre de otros.* Con frecuencia hacemos suposiciones sobre lo que otras personas piensan, sienten y quieren. Es importante no hacer esto, especialmente cuando alguien está enfermo. Con demasiada frecuencia los cónyuges y los niños tratan de hablar en nombre de un pariente mayor. Aunque los miembros de la familia pueden ser intérpretes y abogados útiles, también

pueden minar el proceso de descubrimiento de lo que el anciano realmente necesita y desea.

A menudo los miembros de la familia actúan como si sus padres quisieran lo mismo que ellos. Es normal actuar de esta manera, pero puede empeorar las cosas en vez de mejorarlas. No es justo atribuir a otros nuestras ideas. Tu familia debe tomar decisiones sobre la comodidad, seguridad, bienestar y dignidad de tus padres desde el punto de vista de éstos, y no desde el tuyo o el de otro cualquiera. Es importante compartir las ideas e impresiones, pero también es importante saber quién está hablando por quién y sobre quién.

3. *Pide a la gente que distinga tan claramente como sea posible entre hechos y opiniones y entre pensamientos y sentimientos.* Éste es un trabajo difícil porque significa concentrarse y pensar en lo que estamos diciendo. Cuando le diagnosticaron la enfermedad de Alzheimer, la señora Sarton sólo tenía leves problemas de memoria y cierta dificultad para encontrar las palabras adecuadas. Pero su marido, que entonces aún vivía, estaba aterrorizado, aunque temía admitirlo, y sólo podía pensar en lo enferma que estaba. No podía distinguir entre su propia reacción emocional ante el diagnóstico y la situación real, que en aquel momento era muy buena. Fue Angela, la hija de Melissa la que ayudó a su abuelo: «Abuelo, la abuela aún no está enferma. Quiero que dejes de llorar y la observes detenidamente. Está preciosa, y todos vamos a ayudarla y a amarla».

A veces los problemas surgen porque se confunden los hechos y las opiniones. ¿Es lo mismo una opinión profesional que un hecho? ¿Es un consejo legal una opinión? ¿Es el coste del cuidado previsto para un año un hecho o una suposición? Cada una de estas cuestiones debe considerarse independientemente. ¿Es la opinión médica una suposición o está basada en una evaluación minuciosa y en pruebas de laboratorio que conducen a un diagnóstico firme? ¿Qué otros consejos os dio el abogado teniendo en cuenta las leyes relevantes? ¿Cuáles son las suposiciones que subyacen a la proyección del coste?

Separar los hechos de las opiniones significa ir más allá de las simples afirmaciones de opinión para saber en qué se basan esas opiniones y creencias. La conducta debería basarse en el mejor conocimiento posible en el momento en que se tomó la decisión. Si posteriormente una decisión parece ir torcida, puedes estar tranquilo al saber que dada la información disponible en aquel momento, la decisión fue apropiada y correcta, y que si se presentase la misma situación hoy, la decisión sería la misma.

4. *Anima a la gente a evitar las generalidades y hablar sobre cosas concretas.* Trabajar para encontrar una solución significa ir al grano. Es fácil quedar atrapado en la enormidad de un problema y sentir que no sabes qué hacer. Con frecuencia la resolución de los problemas requiere un esfuerzo mental considerable para concentrarse en los detalles. La hermana de Melissa, Marcie, y su marido estaban abrumados por la perspectiva de la enfermedad de Alzheimer. Marcie sólo podía hablar sobre lo preocupada que estaba y comentar que nadie podía hacer nada. Fue la señora Sarton la que finalmente rompió el bloqueo emocional: «Sé que es duro para vosotros y para todos los demás, pero yo soy la única que tiene Alzheimer. A menos que podáis afrontarlo, no seréis capaces de ayudarme, y necesito toda la ayuda que pueda conseguir».

5. *Cuando surjan opiniones diferentes, anima a la gente a clarificar sus diferencias en vez de discutir sobre ellas.* Cuando surgen preocupaciones legítimas, debe dárseles credibilidad y ser tomadas en consideración. En ocasiones las discusiones son inevitables, pero pueden ser destructivas si las emociones que se derivan de ellas dominan la situación y retrasan la solución del problema. Cuando surgen problemas irresolubles deberían ser reconocidos como tales y abandonados. Generalmente es más eficaz «estar de acuerdo en el desacuerdo» sobre algunas cosas y después tratar de superar el bloqueo. Con frecuencia las confrontaciones airadas toman vida y actúan como una chispa en un barril de dinamita, disparando explosiones emocionales y aumentando el impacto de las cuestiones subyacentes no productivas.

6. *Anima a todos a participar en la discusión de alguna manera.* Algunos miembros de la familia necesitan ser animados a contribuir con sus ideas, que podrían ser información valiosa en una discusión de resolución de problemas. Cuando todos participan, aunque por pocos momentos, se establece un sentido de im-

plicación y responsabilidad compartida ante el futuro. De igual manera, evita que el problema del que no participa, no dice nada pero al final de la reunión no está de acuerdo con las decisiones tomadas y trabaja para destruir el consenso. Antes de terminar la reunión pregunta a todos, uno por uno, si tienen algo que añadir. No esperes mucho para hacerlo, porque de otra forma puede que la gente se vaya o esté demasiado cansada para participar adecuadamente. Si son demasiadas las personas que han «desconectado», deja la toma de decisiones para otra reunión.

7. *Si estás liderando la discusión familiar, trata de comprender y manejar tus propias emociones.* Con el fin de prepararte para guiar la discusión familiar, necesitas valorar el papel que juega actualmente el familiar enfermo en la familia, comparándolo con su papel anterior de individuo sano. Puede resultar útil hacer dos listas. Una debería contener tus reacciones emocionales hacia el familiar enfermo antes de que enfermase y la otra debería contener tus reacciones actuales. Este ejercicio puede parecer tonto y fácil, pero puede ayudarte a comprender lo difícil que es analizar tus sentimientos. Como líder del grupo, necesitarás escucharte a ti mismo así como a todos y cada uno en la familia y es esencial que no dejes que tus propios sentimientos contaminen tu conducta mientras tengas la responsabilidad de liderar las discusiones.

8. *Invita a un amigo íntimo a observar la reunión.* Un extraño puede ser un útil observador y analista de la conducta de la familia, y cuando la reunión ha terminado, esta persona puede ayudarte a comprender lo que ha ocurrido y cómo se ha comportado la gente. Existen ciertos riesgos y beneficios cuando un observador se une a la familia. Los parientes que no conocen tan bien al observador pueden sentirse amenazados y evitar hablar sobre cuestiones emocionales o dolorosas. Puede ocurrir que en vez de escuchar y observar, un visitante hable e interrumpa las discusiones familiares. Los amigos bien intencionados pero insensibles pueden provocar un conflicto familiar innecesario tomando parte por alguien o interrumpiendo prematuramente en vez de dejar que se termine la discusión. Si implicas a otros, elígeles cuidadosamente e insiste, en privado y también en público, en que deben ser imparciales y limitarse a escuchar.

Obtener la opinión de todos en las reuniones familiares

Deberían convocarse reuniones familiares tan frecuentemente como sea necesario cuando es posible pedir la opinión de todos. Pero es importante organizar la reunión. Repasa las pautas de comunicación en el comienzo de la reunión. Pide al grupo que acuerde regirse por ellas durante la reunión. Es más fácil proponer la estructura que hacer que se adhieran a ella, por tanto es esencial mantener la discusión por buen camino. Determinar una hora de comienzo y final de la reunión puede ayudar a acelerar las cosas.

El líder de la discusión

Aunque seas tú el que convoca la reunión, debes estar preparado para dejar que el grupo nombre a otro para que dirija la discusión si así lo desea. No lo consideres un rechazo. Recuerda que la norma básica para ser eficaz es centrarte en los objetivos, no en ti mismo.

Es importante que aceptes a otro líder tan cómodamente como sea posible. Sentirte rechazado —en vez de aliviado o contento— es perjudicial. Aunque sea duro, trata de no sacar la conclusión precipitada rápida, no fundada, de que la familia no quiere tu liderazgo. En esta situación, como en muchas otras, es importante «seguir la corriente» del grupo. A veces puedes influir más en lo que ocurre trabajando como un igual al abordar la situación.

Aunque el grupo elija a otra persona para dirigir la discusión, esto no significa que estés siendo desplazado de tu liderazgo. En realidad, el que otro dirija la discusión tiene muchas ventajas. Puedes observar y distinguir los distintos puntos de vista más atentamente, y puedes ver cómo reaccionan tus padres a lo que se dice. Puedes expresar tu opinión más claramente, sin parecer que utilizas tu posición de líder para imponer un orden del día concreto. Si tus parientes piensan que estás haciendo esto, su resentimiento derrotará incluso a tus mejores ideas.

Estructuración

Estructurar las reuniones ayudará a que los miembros de la familia se centren en las tareas del cuidado. Aunque una buena discusión requiere un guión, esto no significa que deba evitarse el conflicto, los desacuerdos y la expresión de sentimientos. Es saludable dar a la gente la oportunidad de desahogar su ira y frustraciones. Cuando están implicados muchos miembros de la familia, es probable que estén en desacuerdo. El acuerdo general debería ser tal que no se permitiera que los desacuerdos se descontrolasen.

Es difícil mantener a un grupo de parientes centrados en algo, y más aún en la resolución de problemas, pero si de antemano todos están de acuerdo en intentarlo, aceptarán compartir los objetivos y la responsabilidad y unirán sus recursos de alguna forma.

La rivalidad entre hermanos

Probablemente las discusiones se desviarán del propósito principal cuando surjan viejas rivalidades, lealtades o conflictos. La rivalidad entre hermanos persiste más allá de la infancia, y es habitual que los hermanos mayores queden atrapados en problemas competitivos cuyas raíces se remontan a los primeros años escolares, y que así retrasen la solución del problema de sus padres en la actualidad.

Con mucha frecuencia, los hijos utilizan la enfermedad o debilidad de sus padres como una oportunidad para negociar con ellos un problema existente desde hace mucho tiempo o para ganar una vieja batalla a otros miembros de la familia. Esto puede convertirse en un problema grave cuando se considera al anciano dependiente un objeto a ser «apropiado» o controlado. Los hijos adultos podrían competir entre sí o con el otro padre para resolver el problema «a su manera» y estas situaciones pueden volverse hostiles. Es casi como una batalla por un recuerdo familiar, que no está relacionada con el valor monetario —objetos como un conjunto de plata o porcelana o una colección de cualquier tipo que tenía un valor emocional especial puede catalizar el conflicto.

Si la hostilidad surge durante una reunión familiar y el mediador no está presente, el líder del grupo podría determinar un «tiempo muerto» pidiendo a todos que se tomen un descanso para recuperar la compostura. Cuando se convoca de nuevo la reunión, formula otra vez la cuestión que suscitó el conflicto, resume los argumentos opuestos, y explica cómo llegar a algún acuerdo. A veces un descanso permite a la gente calmarse lo suficiente para tratar los problemas reales que plantea el cuidado de los padres. Si el líder de la discusión está muy identificado con una de las partes en conflicto, es mejor que alguien más imparcial dirija el consenso. Si el enfrentamiento familiar surge sin mediador, trata de parar la reunión explicando que se ha llegado a un bloqueo y que es necesario un mediador. Trata de evitar el lenguaje áspero y las confrontaciones que puedan abrir viejas heridas o crear otras nuevas.

Ansiedad

En ocasiones la ira que surge en las reuniones es debida a la ansiedad y al miedo al futuro. Cuando un miembro de la familia tiene problemas y otros quieren ayudarle pero no saben qué hacer, la ansiedad y la inquietud son las respuestas naturales incluso en familias sanas. La ansiedad no es necesariamente mala, y en cantidades pequeñas puede impulsar al grupo hacia adelante. Cuando los niveles de ansiedad son altos, inhiben la comunicación e impiden que la familia desarrolle una resolución eficaz de las cuestiones importantes. Una forma de manejar la ansiedad del grupo de manera eficaz es afirmar abiertamente que sabes que la gente está nerviosa y preocupada y pedirles que hablen sobre lo que les está poniendo nerviosos. Si todos son capaces de compartir sus sentimientos, pueden empezar a sentir una sensación de alivio.

Las reuniones familiares no siempre funcionan. Las emociones intensas y las viejas batallas familiares pueden ser demasiado fuertes y bloquear la resolución de problemas. El estilo de la familia podría hacer imposible una reunión debido a que la mayoría de los miembros podrían estar «demasiado ocupados para asistir» o no estar dispuestos a compartir las tareas del cuidado. En algunas familias, cada vez que hay una reunión, hay una disputa. En estos casos es necesario buscar la ayuda de un profesional —un psiquiatra, psicólogo, o asistente social— que tenga experiencia trabajando con estas familias. Es un signo de fuerza el que una familia admita que necesita recursos externos para romper un bloqueo grave. El objetivo aquí no es resolver problemas existentes desde hace mucho tiempo, sino centrarse en lo que se puede hacer de una forma realista para satisfacer las necesidades de los padres enfermos.

En general, cuanto más impliques a otros miembros de la familia en el proceso de planificación, mayores serán las probabilidades de alcanzar soluciones viables. Más aún, probablemente descubrirás más recursos de los que imaginabas a medida que los otros se impliquen en el proceso. La familia comenzará a construir un sentido colectivo de responsabilidad compartiendo sus opciones e ideas. Tus soluciones pueden no ser perfectas, pero ya que se desarrollaron a partir de los esfuerzos colectivos del grupo, ofrecen algo en lo que basarse.

Identificar las tareas y elaborar un plan

Decidir qué quieres conseguir puede ser agobiante precisamente porque las responsabilidades del cuidado lo son. Pero es esencial que tú y tu familia establezcáis objetivos concretos si vais a trabajar juntos. En este sentido, la solución de los problemas en familia es bastante parecida al trabajo con un rompecabezas. Necesitas mantener una imagen mental del rompecabezas para poner las piezas juntas más rápidamente.

Además, o como alternativa a algunas técnicas ya descritas, es eficaz convertir la reunión familiar en una sesión de trabajo. Dales a los miembros de la familia lápiz y papel y pídeles que se dispersen y que encuentren un lugar cómodo para trabajar. Pídeles que dediquen media hora a construir un plan para responder a la situación actual. Cuando os volváis a reunir, lee los planes en voz alta y poneos de acuerdo en las áreas a las que hay que atender. Luego haz que un individuo o un grupo se ocupe de ellas.

Este ejercicio no es la panacea, pero da a cada uno tiempo para estar a solas e inventar sus propias soluciones e ideas. Este tiempo a solas es esencial porque cada persona necesita descifrar lo que piensa que la familia debería hacer. Cuando os reunáis de nuevo, todos seréis capaces de proporcionar una opinión seria. Aunque los miembros de la familia se resistan a hacerlo, anímales a intentarlo.

Ser más efectivo implica identificar las tareas que se presentarán. Puedes esperar que surjan al menos cuatro amplios grupos de tareas que están asociadas con el cuidado de los padres: proporcionar ayuda directa a tus padres ancianos, trabajar con los miembros de la familia en tareas interpersonales, tratar con profesionales, agencias de la salud y sociales, y satisfacer tus necesidades personales. Es útil analizar en familia las tareas concretas que probablemente necesitarán atención. La siguiente lista no pretende ser exhaustiva, sino una forma de anticipar y discutir los planes de cuidado.

Tareas de ayuda directa

Debido a que los enfermos crónicos necesitan ayuda durante largos períodos de tiempo, las tareas y servicios que requieren cambiarán a lo largo del tiempo.

- Pide a tus padres que te permitan a ti o a otro miembro de la familia obtener la información necesaria de su médico o de otros profesionales de la salud.
- Consigue información exacta sobre el problema o enfermedad de tus padres; en concreto sobre su capacidad para realizar las actividades de la vida diaria.
- Establece una asociación con tus padres y los profesionales encargados del cuidado de la salud de tus padres para evaluar las distintas estrategias de tratamiento posibles.
- Supervisa la administración diaria de tratamientos médicos y de otro tipo.
- Supervisa las recomendaciones generales de salud relativas a la dieta, ejercicio físico, y otros cambios de estilo de vida.
- Encuentra los servicios que existen en tu comunidad.
- Siempre que sea posible, trabaja con tus padres para organizar sus actividades diarias de forma útil.

- Ayúdales con el baño, el vestido, comida, bebida, paseo o cualquier otra actividad de cuidado personal.
- Encuentra ayuda para manejar las conductas molestas como la agitación, explosiones de conducta, etc.
- Encuentra la forma de mantener una relación satisfactoria con tus padres.
- Encuentra un tiempo y lugar para disfrutar.
- Desarrolla un mecanismo para ayudar a tus padres con las cuestiones económicas cuando sea necesario.
- Evalúa la capacidad de tus padres para cuidarse.
- Piensa en el tipo de ayuda y servicios que necesitarán tus padres en el futuro.

Existen una serie de tareas concretas que deben realizarse para llevar a cabo cada uno de estos ítems. Si es necesaria ayuda para el aseo personal, la compra o la preparación de las comidas, entonces hay que decidir si debería contratarse una asistenta o si un pariente debería ser el responsable de estas tareas. ¿Cuál es el plan de apoyo? ¿Quién pagará los gastos si se contratan estos servicios?

Encontrar servicios comunitarios supone contactar con agencias sociales que puedan ayudar con problemas como los vuestros. Generalmente se suele compartir la responsabilidad de hacer compañía al enfermo, pero tener a una docena de parientes visitándole al mismo tiempo no constituye una buena cobertura de 24 horas cuando ésta es necesaria.

Recuerda que muchas familias tienen parientes o amigos íntimos que son profesionales cualificados. No temas implicarles con los profesionales que atienden a tus padres.

Tareas con otros miembros de la familia

Es difícil ser concreto al hablar sobre cómo desempeñar tareas específicas con otros miembros de la familia porque las relaciones familiares varían mucho dependiendo de quién seas, dónde vivas, y cómo trabaje en grupo la familia. Pero hay ciertas tareas que trascienden estas cuestiones.

- Mantén la comunicación familiar, intercambia la información a medida que la obtienes.
- Encuentra la forma de compartir las responsabilidades.
- Maneja los sentimientos negativos hacia los miembros de la familia que no ayudan nunca o casi nunca.
- Haz planes para manejar conflictos o enfrentamientos familiares cuando éstos tienen una influencia negativa en el cuidado.
- Cuando sea posible, discutid como una familia la necesidad de ingresar a los padres en una residencia antes de que sea necesario. ¿Cómo puede evitarse? ¿En qué circunstancias sería una buena idea? ¿Cómo encontraríais un servicio aceptable?

Tareas que dependen de la comunidad

Muchas de las necesidades de los ancianos dependen de los servicios comunitarios y sociales más que de intervenciones médicas.

- Aprende sobre los servicios humanos y sociales de tu comunidad.
- Habla con personas que tengan conocimientos.
- Explora alojamientos alternativos.
- Hazte defensor de tus padres.

Tareas personales

Necesitas identificar tus propias necesidades y cuidarte. La siguiente lista sólo comprende parte de las tareas que afrontarás. Recuerda que si no te cuidas, probablemente tendrás problemas, y a la larga esos problemas pueden incapacitarte y hacer daño a tus padres. Por tanto, debes cuidarte —no por razones egoístas, aunque lo merezcas— sino como una responsabilidad hacia los que dependen de ti. ¡Cuídate!

- Encuentra tiempo para estar alejado de tus padres. Prográmalo. Si es posible, hazlo durante un par de horas todos los días.
- Duerme lo suficiente.
- Come adecuadamente.
- Haz ejercicio y manténte en forma.
- Distingue cualquier sentimiento de enfado hacia tus padres de los sentimientos de enfado asociados a las tareas del cuidado.
- Siéntete bien con lo que estás haciendo.
- Aprende a vivir día a día.
- Prepárate para la incertidumbre del deterioro progresivo y la muerte, pero no dejes que tu esperanza muera mucho antes que tus padres.
- Habla con otros. Dedica tiempo a tus amigos.
- Dedica tiempo a dar ternura y afecto a las personas que amas.
- Confía en alguien.

Hacer una lista de los cuatro tipos de tareas debería dar una sensación de alivio a la familia al ver que el cuidado implica tareas concretas en vez de una situación abrumadora y agobiante. El elemento clave es algo que hemos subrayado a lo largo de todo el libro: ¡toma el control! Respira profundamente y analiza cómo necesitaréis definir vuestros papeles y obligaciones respecto a las responsabilidades del cuidado. Theodore Roosevelt dijo: «Haz lo que puedas, con lo que tienes, donde estás». Y eso es exactamente lo que necesitas hacer para lograr una eficacia continuada.

Tu efectividad, tu calidad de tu vida y la de todos los demás requiere que tú y tu familia continuéis controlando la situación. Evalúa los cambios en tus padres y en el resto de la familia —valora la mejor línea de acción en circunstancias cambiantes y después haz lo que sea necesario—. Excepto en circunstancias excepcionales —cuando la vida de uno de los padres está en inminente peligro— dispones de tiempo para desarrollar y llevar a cabo un plan. El siguiente capítulo explica cómo puedes reducir el riesgo de perder el control y cómo darte cuenta de si otros miembros de tu familia se están metiendo en problemas.

6

Mantener el control en las crisis

Es raro que una familia lleve a cabo sus planes sin contratiempos y asimile los cambios sin ningún conflicto o disgusto. Aunque hayas afrontado bien la mayor parte de las exigencias de la tarea de cuidar de tus padres, puede haber ocasiones en que sientas que estás llegando al límite. Puede que una experiencia personal te haga explotar o que una experiencia familiar haga que aumenten las tensiones y que estallen las discusiones. En estas situaciones corres el riesgo de perder el control y hacer o decir cosas estúpidas y dañinas. Generalmente, cuando nos enfadamos decimos cosas de las que luego querríamos retractarnos. Incluso los hermanos que se llevan bien discuten de vez en cuando.

No importa lo bien que te lleves con tus padres o con tu cónyuge, siempre surgirá alguna cuestión sobre la que estaréis en desacuerdo. Las familias sanas experimentan conflictos y disputas que habitualmente son efímeros. No obstante, en una familia pueden surgir problemas graves cuando las exigencias del cuidado superan a las habilidades y recursos de la familia, cuando durante mucho tiempo las relaciones familiares han sido desagradables o destructivas y cuando las crisis se acumulan hasta el punto de que la familia no puede funcionar y es incapaz de cuidar de nadie.

Cuando surgen crisis graves en las familias, éstas lo saben y lo sienten, pero los miembros de la familia se agobian por la situación, y hacen cosas destructivas o tomas decisiones impulsivas que únicamente empeoran las cosas. Entonces, aumentan las tensiones y problemas, las discusiones se hacen más violentas y los miembros de la familia se dividen y no son capaces o no están dispuestos a trabajar juntos.

Generalmente, cuando la situación queda fuera de control, las consecuencias son negativas. Estas consecuencias pueden influir en todas las áreas de la vida. Como responsable principal del cuidado de tus padres, puedes presentar problemas físicos y mentales que no sólo causan dolor y sufrimiento, sino que te impiden ser eficaz. Esto puede afectar a tu productividad en el trabajo, y es posible que tu jefe y otros compañeros no sean comprensivos. Puede darte la impresión de que tus amigos te abandonan. Al mismo tiempo, ellos pueden sentirse rechazados por ti, incapaces de tolerar tu ira, tu depresión y tu habitual conducta desagradable.

La pérdida del control también puede afectar a tu familia. La tensión puede aparecer de distintas formas. Los niños pequeños pueden empezar a expresar los problemas en casa o en la escuela. Las necesidades de tus padres pueden quedar desatendidas porque tú y el resto de los miembros de la familia estáis demasiado ocupados peleando entre vosotros. Más aún, la energía invertida en la pelea lo domina todo y arruina la calidad de vida de toda la familia.

Otras posibles consecuencias son la violencia, el maltrato, y el abandono de los padres. En realidad, el maltrato físico grave —patadas, golpes, amenazas o el uso de un arma— es habitual en aproximadamente un 20 por ciento de las familias que cuidan de un pariente enfermo crónico. En ocasiones, los miembros de la familia maltratan a sus padres y otras veces son los padres los que maltratan a las personas que les cuidan. En ocasiones, las dos partes se hacen daño mutuamente.

Es posible reducir el riesgo de perder el control y meterte en estos graves problemas. Es importante que te des cuenta de cuándo tú o los tuyos, incluyendo a los hijos pequeños, tenéis problemas y pidas ayuda. Este capítulo describe formas de evaluar los riesgos e incluye varios ejercicios con los que puedes medir lo bien que te estás cuidando, cómo te sientes contigo mismo, qué otros tipos de cambios y tensiones vitales te están presionando, si lo estás afrontando bien, y hasta qué punto te sientes agobiado por esta tarea de cuidar de tus padres. Incluimos estos ejercicios para ayudarte a identificar tu nivel de angustia y motivarte para pensar sobre lo que puedes hacer para reducir tu vulnerabilidad.

Existen tres estrategias básicas que pueden ayudarte a prevenir las crisis graves y a reducir tu riesgo de perder el control. La primera consiste en comprender tus actitudes y opiniones respecto al control que deberías ejercer sobre lo que les ocurre a tus padres así como sobre cuánto puedes hacer por ellos. La segunda estrategia consiste en analizar si utilizas un sistema de apoyo social (la gente que puede ayudarte), que generalmente está formado por tu familia y amigos pero en el que también pueden participar tu jefe y tus compañeros de trabajo, profesionales del cuidado de la salud, y otras personas de tu vecindario o comunidad. La tercera estrategia implica mejorar tu autoestima, es decir, cómo te sientes contigo mismo.

Comprender tus actitudes, opiniones y expectativas

El concepto que tienes de tu habilidad para ayudar a tus padres tiene una gran influencia en tu vulnerabilidad para meterte en problemas. Aunque hay muchas cosas que puedes hacer por tus padres, siempre hay unos límites. Puedes escucharles, ser sensible a su dolor e incomodidad, encontrar un buen médico o buscar ayuda domiciliaria, y hacer muchas otras cosas por ellos. Es importante recordar que las enfermedades crónicas de la vejez son incurables por definición y generalmente progresivas. En muchos casos, no importa cuánto hagas, tus padres no se curarán, y empeorarán progresivamente.

En lo referente al mundo del cuidado, necesitas desarrollar una forma distinta de pensar. Déjate guiar por un optimismo sereno, prepárate para aceptar el fracaso mientras tratas de tener éxito. Es un error suponer que puedes cambiar el curso inexorable de los acontecimientos «si puedes hacer lo suficiente». Esta idea te condena al fracaso y a la desilusión y daña tu habilidad para ser útil. Acepta que aunque cuidar de tus padres es una tarea realmente difícil, puedes hacer importantes avances planificando y alcanzando objetivos específicos que están dentro de tus capacidades y recursos económicos.

El optimismo sereno también implica sentirte bien por hacerlo lo mejor posible. Más de dos tercios de las personas que cuidan de sus padres afirman que están satisfechos con el cuidado que han proporcionado a sus parientes ancianos, pero también afirman que se sienten culpables al pensar que deberían haber hecho más. Uno de los principios más importantes del cuidado es aceptar lo evidente: que la vida es finita y que nuestros recursos económicos y nuestro tiempo también lo son. Hazlo lo mejor que puedas, y aprende a sentirte satisfecho con eso. Tómate bien las cosas incluso cuando fracasas. Siéntete satisfecho con lo que has hecho en vez de obsesionarte con problemas no resueltos y prepárate para volverlo a intentar.

Utiliza tu sistema de apoyo social

El cuidado de tus padres no es un asunto privado que debas manejar tú solo. Cuando tratas de llevarlo a cabo solo, aumentan significativamente las posibilidades de padecer problemas de salud graves, de perder la perspectiva, de ser despedido del trabajo e incluso de cometer actos violentos e injuriosos.

Es esencial tener un sistema de apoyo social y utilizarlo para afrontar con éxito la tarea. Tu familia y tus amigos pueden ayudarte a crear un parachoques para amortiguar o para protegerte de las tensiones del cuidado de tus padres. También pueden ayudarte a encontrar formas distintas de manejar el estrés.

¿Cómo te ayuda tu sistema social? De muchas formas. En primer lugar, tu familia y tus amigos son una fuente de consuelo. Te pueden ayudar a sentirte querido y cuidado en momentos en los que te sientes inútil o no te gustas mucho. En segundo lugar, cuando sientes que no has hecho lo suficiente por tus padres, ellos pueden hacerte sentir que lo estás haciendo lo mejor que puedes y que has hecho importantes aportaciones al bienestar de tus padres. Por otra parte, tu red de apoyo social puede hacerte sentir que eres parte de un grupo en el que cada individuo tiene un compromiso con los demás. Por último, siempre hay alguien que puede aconsejarte, actuar como caja de resonancia y ayudarte con una tarea en un momento determinado.

Los siguientes tres ejercicios de autoevaluación te ayudarán a identificar a las personas que componen tu sistema de apoyo y a saber si has confiado o no en ellos.

Ejercicio 1. Haz una lista con las personas que consideras más importantes en tu vida. Después, contesta a las siguientes preguntas sobre cada una de estas personas:

1. ¿Cuáles son las cualidades que más admiro y disfruto de esa persona?
2. ¿Qué cualidades son las que esa persona más admira y disfruta de mí?
3. ¿Con qué frecuencia llamo o visito a esa persona?
4. ¿Con qué frecuencia me llaman o me visitan?
5. ¿Con qué frecuencia voy a la iglesia, clubes u otras organizaciones con esa persona?
6. ¿Con qué frecuencia paso tiempo con esa persona realizando actividades placenteras, como ir al cine, a restaurantes o de viaje?

Estas preguntas deberían hacerte pensar sobre cómo te relacionas con otras personas y cómo se relacionan ellas contigo. Los siguientes ejercicios de autovaloración son mucho más específicos respecto a si la gente te ayuda o no a cuidar de tus padres. Las preguntas fueron construidas por Linda George,[10] una socióloga que se ha especializado en el estudio del cuidado y las redes sociales.

10. Linda George, *The Duke University Caregiver Well-Being Survey*, Duke University, 1987. Con permiso de Linda George.

EVALUACIÓN DE LA RED FAMILIAR

Tipo de ayuda	*Frecuencia con que recibiste esta ayuda*				
El año pasado, con qué frecuencia tu familia:	**Nunca**	**Raramente**	**Sólo cuando lo pedí**	**A veces**	**A menudo**
Te ayudó cuando estuviste enfermo	1	2	3	4	5
Te hizo los recados	1	2	3	4	5
Te ayudó con el dinero o con las facturas	1	2	3	4	5
Arregló cosas en tu casa	1	2	3	4	5
Cuidó de la casa o hizo tareas domésticas	1	2	3	4	5
Te dio consejos sobre negocios o finanzas	1	2	3	4	5
Te hizo compañía	1	2	3	4	5
Te aconsejó cómo manejar los problemas	1	2	3	4	5
Te proporcionó transporte	1	2	3	4	5
Te preparó la comida	1	2	3	4	5
Estuvo con tus padres mientras tú estabas fuera	1	2	3	4	5
Ayudó a tus padres a prepararse	1	2	3	4	5

EVALUACIÓN DE LA RED FAMILIAR

Tipo de ayuda	*Frecuencia con que recibiste esta ayuda*				
El año pasado, con qué frecuencia conseguiste que un amigo o vecino	**Nunca**	**Raramente**	**Sólo cuando lo pedí**	**A veces**	**A menudo**
Te ayudase cuando estabas enfermo	1	2	3	4	5
Te hiciese los recados	1	2	3	4	5
Te ayudase con el dinero o las facturas	1	2	3	4	5
Te arreglase las cosas de la casa	1	2	3	4	5
Cuidase de la casa o hiciese tareas domésticas	1	2	3	4	5

EVALUACIÓN DE LA RED FAMILIAR

Tipo de ayuda	*Frecuencia con que recibiste esta ayuda*				
El año pasado, con qué frecuencia conseguiste que un amigo o vecino	**Nunca**	**Raramente**	**Sólo cuando lo pedí**	**A veces**	**A menudo**
Te aconsejase sobre negocios o finanzas	1	2	3	4	5
Te hiciese compañía	1	2	3	4	5
Te aconsejase cómo abordar los problemas	1	2	3	4	5
Te proporcionase transporte	1	2	3	4	5
Preparase comidas	1	2	3	4	5
Estuviese con tus padres mientras estabas fuera	1	2	3	4	5

La literatura existente sobre la ciencia del cuidado muestra que entre las familias que se hacen cargo del cuidado de los ancianos, aquellas que tienen redes de apoyo social fuertes lo hacen mejor que las que no tienen esos sistemas de apoyo. Si no dispones de un buen sistema de apoyo es hora de que pidas ayuda a un sacerdote, a un médico o a alguien en quién confíes. También sería conveniente convocar una reunión familiar y discutir la situación.

Mejorar tu autoestima

Tu autoestima está determinada por cómo sientes y piensas sobre ti mismo. Tu autoestima puede ser positiva («soy guapo», «soy elegante», «a los demás les gusta estar conmigo») o puede ser negativa («soy feo», «soy tonto», «tengo miedo a fracasar»). Cuantos más sentimientos positivos tengas respecto a ti mismo más alta será tu autoestima, mientras que a su vez, cuantos más sentimientos negativos tengas más baja será tu autoestima.

Tu autoestima influye en cómo piensas y actúas, en tus sentimientos hacia ti y hacia los demás y en el éxito que tienes cuidando de ti y de otros. Una autoestima alta puede hacerte sentir simpático, competente, eficaz y productivo, mientras que una autoestima baja puede hacerte sentir antipático, incompetente, ineficaz e inútil.

Sentirse bien con uno mismo es una protección. Ayuda a no perder el control de la situación. Además, te permite aceptar los desafíos, mantener la confianza en ti mismo incluso cuando fracasas y permanecer flexible.

¿Cómo te sientes contigo mismo? Evalúa tu autoestima respondiendo sinceramente a las siguientes preguntas. Fueron planteadas por el Wien Center, un programa conjunto del Mount Sinai Medical Center y de la Escuela de Medicina de la Universidad de Miami.[11] La mayoría de las personas se sienten mal consigo mismas alguna vez en su vida. Piensa sobre cómo te sientes la mayor parte del tiempo para contestar a estas preguntas.

1.	¿Te sientes herido fácilmente cuando te critican?	Sí	No
2.	¿Eres muy tímido o abiertamente agresivo?	Sí	No
3.	¿Tratas de ocultar tus sentimientos?	Sí	No
4.	¿Temes las relaciones estrechas?	Sí	No
5.	¿Intentas culpar a otros de tus errores?	Sí	No
6.	¿Encuentras excusas para rechazar los cambios?	Sí	No
7.	¿Evitas las nuevas experiencias?	Sí	No
8.	¿Deseas poder cambiar tu apariencia física continuamente?	Sí	No
9.	¿Eres demasiado modesto sobre tus éxitos personales?	Sí	No
10.	¿Te alegras cuando otros fracasan?	Sí	No

Si has respondido afirmativamente a la mayoría de estas preguntas, probablemente necesitas mejorar tu autoestima. Ahora responde a las siguientes preguntas tan honestamente como puedas.

11. The Wien Center, un programa conjunto del Mount Sinai Medical Center y la Escuela de Medicina de la Universidad de Miami, *Self-Esteem Assessment.* Con permiso del Mount Sinai Medical Center, Florida.

1.	¿Aceptas las críticas constructivas?	Sí	No
2.	¿Te resulta fácil conocer gente nueva?	Sí	No
3.	¿Eres honesto y abierto sobre tus sentimientos?	Sí	No
4.	¿Valoras tus relaciones más estrechas?	Sí	No
5.	¿Eres capaz de reírte y aprender de tus errores?	Sí	No
6.	¿Identificas y aceptas los cambios en ti mismo cuando ocurren?	Sí	No
7.	¿Buscas y emprendes nuevos retos?	Sí	No
8.	¿Tienes confianza en tu apariencia física?	Sí	No
9.	¿Te otorgas el mérito cuando es debido?	Sí	No
10.	¿Te alegras por los demás cuando tienen éxito?	Sí	No

Si has respondido afirmativamente a la mayoría de estas preguntas, entonces probablemente tienes una opinión saludable sobre ti mismo.

Consejos para mejorar tu autoestima. Como ya comentamos en el capítulo anterior, necesitas encontrar tiempo para ti. Acepta tus virtudes y defectos. Todo el mundo los tiene. Saca tiempo con regularidad para estar a solas. Confía en tu instinto. Presta atención a tus pensamientos y sentimientos, y haz lo que creas que es correcto. Debes sentir respeto por ti mismo, estar orgulloso de ser quien eres, y tener un buen concepto de tu talento. Busca tiempo para disfrutar de tus actividades preferidas.

Una alta autoestima no garantiza que cuides de tus padres a la perfección, pero te garantiza sentirte bien contigo mismo si las cosas se ponen difíciles. No es fácil mejorar una baja autoestima, porque implica observarte detenidamente y cambiar lo que no te gusta.

Cómo saber si te estás cuidando

Tú y los tuyos sois los protectores de tus padres y, por tanto, debéis tener cuidado. Evalúa regularmente las dimensiones físicas, mentales y espirituales de tu vida. Si no les prestas atención te arriesgas a perder el control y a meterte en problemas.

La dimensión física incluye cuidar de tu cuerpo (hacer ejercicio, comer bien y descansar lo suficiente). La dimensión mental implica mantener tu mente activa y encontrar formas de continuar aprendiendo (leyendo, escribiendo y realizando actividades). La dimensión espiritual es privada y se refiere a aquello que te inspira, te da paz mental y renueva tus fuerzas interiores. Estas actividades pueden incluir la oración, escuchar música, la meditación, los paseos o pasar tiempo a solas.

Lee las siguientes afirmaciones y rodea con un círculo el número que indique cómo te desenvuelves en cada una de las cinco áreas.

	Muy Poco	*Poco*	*Suficiente*	*Bastante*	*Mucho*
1. Hago ejercicio regularmente	1	2	3	4	5
2. Cuido mi salud física	1	2	3	4	5
3. Dedico tiempo a encontrar sentido y valor en mi vida	1	2	3	4	5
4. Dedico tiempo a leer, escribir y a aprender cosas nuevas	1	2	3	4	5
5. Trato de mejorar mi relación con los demás	1	2	3	4	5

Suma el total y divídelo entre cinco para obtener tu puntuación. Cuanto más alta sea tu puntuación, más control tienes. Si tu puntuación es más baja de lo que te gustaría, decide lo que vas a hacer para mejorar tu equilibrio físico, mental y espiritual.

Si necesitas potenciar algún aspecto para equilibrar tus necesidades personales, el siguiente ejercicio te ayudará a reorganizar tu tiempo personal: compra una agenda de bolsillo. Durante la próxima semana escribe lo que haces cada día para cuidar tu yo físico, mental y espiritual. Especifica la actividad que realizas y el momento del día en que la llevas a cabo. Anota únicamente lo que haces por ti, no por tus padres ni por otras personas. Al final de la semana repasa lo que has hecho, no lo que has dejado de hacer. Si no estás satisfecho, sigue utilizando la agenda las siguientes semanas como una forma de organizarte. Es fácil decir que vas a comer mejor, a dormir lo suficiente o a sacar tiempo para no hacer nada. Es fácil pensar en hacer estas cosas y no llevarlas nunca a cabo. Escribir es una forma de responsabilizarte. Recuerda que tu objetivo no es cambiar todo tu estilo de vida. La meta es que pienses en ti y te cuides.

PERFIL DE CONDUCTA SANA: EJERCICIO FÍSICO

Hacer ejercicio físico puede ser agradable para algunas personas e insoportable para otras. Es muy importante para el buen estado mental y físico y es un remedio eficaz para liberar las frustraciones. El siguiente perfil de ejercicio te puede ayudar a determinar si tu programa actual de ejercicio es adecuado. Te permite puntuarte y te da ideas sobre lo que puedes hacer si has descuidado el ejercicio. Fue creado por Phillip Rice, el autor de *Stress and Health.*[12]

Suma los números que has rodeado. Después, cuenta los ítem con valor de uno o más y divide este número por el total. Si el resultado es igual o mayor que tres, tu puntuación es excelente. Si el resultado está entre 1,5 y 3,0, tienes una buena rutina de ejercicios. Si el resultado es inferior a 1,5 estás en peligro.

12. Adaptado de *Stress and Health*, 2ª ed., por Phillip L. Rice. Copyright 1992, 1987, Wadsworth, Inc. Adaptado con permiso de Brooks/Cole Publishing Company, Pacific Grove, CA 93950.

Autoevaluación: ejercicio físico

Este perfil te ayudará a determinar si tu actividad física actual y/o programa de ejercicio son adecuados. Rodea con un círculo tu nivel de participación en la siguiente lista de actividades.

Con qué frecuencia participas en:	Nunca o casi nunca	Una vez al mes	Una vez por semana	2 o 3 veces por semana	4 o más veces por semana
1. Natación	0	1	2	3	4
2. Paseo	0	1	2	3	4
3. Excursiones	0	1	2	3	4
4. Jardinería	0	1	2	3	4
5. Ciclismo	0	1	2	3	4
6. Aerobic, danza	0	1	2	3	4
7. Tenis	0	1	2	3	4
8. Canoa	0	1	2	3	4
9. Esquí acuático	0	1	2	3	4
10. Esquí	0	1	2	3	4
11. Golf	0	1	2	3	4
12. Deportes de equipo	0	1	2	3	4
13. Correr	0	1	2	3	4
14. Levantamiento de pesas	0	1	2	3	4
15. Otros ejercicios físicos	0	1	2	3	4

Perfil de conducta sana: dieta y nutrición

Una dieta pobre y unos hábitos alimentarios inadecuados aumentan el riesgo de sufrir muchos problemas que se pueden prevenir. Si no te alimentas adecuadamente, estarás cansado, inquieto, irritable, y serás menos eficaz. Si mantienes unos hábitos alimentarios pobres durante un largo período de tiempo, probablemente corres peligro de sufrir desnutrición.

El siguiente ejercicio (también creado por Phillip Rice) no es una evaluación exhaustiva, pero te ayudará a reflexionar sobre la nutrición para ver en los aspectos que puedes mejorar.

Esta escala te ayudará a comparar tus hábitos alimentarios con lo que se considera adecuado. Rodea con un círculo la respuesta que describa con mayor exactitud tus hábitos alimentarios.

Con qué frecuencia:	Una vez al mes o menos	Varias veces al mes	Una vez a la semana	Todos los días
1. No comes frutas, verdura, fibra	1	2	3	4
2. Tomas cinco tazas de café o más al día	1	2	3	4
3. Comes grasas, carne roja, lácteos	1	2	3	4
4. Tomas cinco refrescos o más	1	2	3	4
5. Comes caramelos, azúcar, pasteles	1	2	3	4
6. Tomas suplementos vitamínicos	1	2	3	4
7. Comes en exceso en las comidas	1	2	3	4
8. Comes entre horas	1	2	3	4
9. Comes mientras ves la televisión, lees	1	2	3	4
10. Te saltas el desayuno	1	2	3	4
11. Te saltas la comida	1	2	3	4
12. Te saltas la cena	1	2	3	4
13. Haces dietas rápidas para perder peso	1	2	3	4
14. Tomas pastillas para adelgazar	1	2	3	4
15. Utilizas anfetaminas para perder peso	1	2	3	4

Suma los números que has rodeado en las 15 preguntas. Una puntuación inferior a 20 indica que tus hábitos alimentarios son excelentes. Una puntuación entre 20 y 35 indica buenos hábitos. Una puntuación superior a 40 sugiere que corres peligro. Si tu puntuación está en la zona de alto riesgo identifica los ítem de la lista en que has rodeado un tres o un cuatro. Éstos son los hábitos que tienes que cambiar.

Valora la carga del cuidado

En este contexto, el término carga hace referencia a los problemas que experimentas como consecuencia de la responsabilidad que supone el cuidado de tus padres. Refleja el grado en que tu vida personal está constreñida o limitada por las actividades del cuidado y cómo la conducta de tus padres dificulta tu relación con ellos y con los demás.

La mayoría de las personas que cuidan de sus padres se quejan de la presión a la que están sometidos. Es normal sentirse agobiado por las responsabilidades, la presión es un factor complejo. La presión que sientes es resultado de lo mucho que tienes que hacer, de lo mucho que el cuidado te agobia, de lo efectivo que eres cuidando de tus padres, de la efectividad de tu sistema de apoyo social, de tu propia salud y expectativas, de otras tensiones de la vida cotidiana y de tu estilo personal.

Los siguientes ítem, construidos por Stephanie McFall,[13] deberían ayudarte a valorar lo presionado que te sientes. Responde con un sí o un no.

1. Tengo que cuidar de mis padres aunque no me sienta bien.
2. Cuidar de mis padres es duro para mí.
3. Cuidar de mis padres limita mi vida social o mi tiempo libre.
4. Cuidar de mis padres ha hecho que mi salud empeore.
5. El cuidado cuesta más de lo que me puedo permitir.
6. Tengo que ofrecer a mis padres una atención casi constante.
7. En ocasiones mis padres olvidan las cosas, se confunden o se niegan a cooperar.
8. En ocasiones mis padres me avergüenzan tanto a mí como a otros.
9. En ocasiones mis padres caen en períodos de pérdida de memoria.
10. En ocasiones mis padres se enfadan y me gritan.

13. Stephanie McFall y Baila H. Miller «Caregiver Burden and Nursing Home Admission of Frail Elderly Persons», *The Journal of Gerontology, Social Sciences,* 1992, 47: 573-579.

Anota un punto por cada afirmación a la que hayas respondido. Cada punto representa un problema. Si tu puntuación se sitúa entre uno y tres, estás soportando una presión leve. Si has obtenido entre cuatro y seis puntos significa que soportas una presión moderada y si tu puntuación está entre siete y diez sufres un presión grave.

Una puntuación alta no significa que necesariamente estés en peligro de enfermar o de perder el control. Deberías considerar tu puntuación como una forma de evaluar el estrés y la tensión a la que estás sometido. Además, a la hora de valorar la presión es necesario que tengas en cuenta otros sentimientos como tu satisfacción como persona responsable del cuidado de tus padres.

Es posible que te sientas a la vez presionado y satisfecho con tu labor. Puntúa con qué frecuencia tienes los siguientes sentimientos:

	Nunca	**Raramente**	**La mitad del tiempo**	**Más de la mitad del tiempo**	**Casi siempre**
1. Ayudar a mis padres me hace sentir más cerca de ellos	1	2	3	4	5
2. Disfruto estando con mis padres	1	2	3	4	5
3. Ser responsable de mis padres mejora mi autoestima	1	2	3	4	5
4. Mis padres aprecian lo que hago por ellos	1	2	3	4	5
5. El placer de mis padres me da placer	1	2	3	4	5

Suma tus puntuaciones. Cuanto más baja sea tu puntuación, peor te sientes. Cuanto más alta sea tu puntuación, más satisfecho estás. Una puntuación demostrativa de una alta presión psicológica acompañada de un sentimiento de insatisfacción es un indicador de que sería conveniente que hablases con alguien para pedir apoyo o ayuda emocional.

Indicios de que los hijos están en peligro

Los niños, incluso los más pequeños cuando sea apropiado, pueden ser valiosos ayudantes en las tareas de cuidado. Los niños tienen muchas opiniones y sentimientos sobre lo que acontece. Al igual que el resto de la familia tienen derecho a ser informados, a poder expresar sus sentimientos, y a implicarse de formas con las que se sientan cómodos. Además, hacer participar a los niños ofrece la posibilidad de que sus padres pasen tiempo con ellos y les enseñen el valor de cuidar de otros.

Por el contrario, si excluimos a los niños les podemos crear una serie de problemas, como ansiedad por no saber lo que va mal, culpabilidad por sentirse responsables de alguna forma, o ira por haber sido excluidos. Las siguientes son algunas señales de advertencia de que los niños podrían no estar haciendo frente adecuadamente a las tensiones que origina en casa el cuidado de los ancianos.

- La aparición de miedos nuevos y extraños, como el miedo a la oscuridad, a los desconocidos, a estar solos o a dormir solos.
- La insistencia en tener al padre o a la madre cerca y la negativa a ir a sitios que antes eran sus favoritos.
- Cambios significativos en las emociones como llorar, tener pesadillas, estar irritable o apartarse de los amigos.
- Cambios repentinos en el rendimiento escolar.

Los indicios más importantes son los cambios llamativos de la conducta habitual. Si estás preocupado porque la situación está afectando a tus hijos de manera negativa, es importante que hables con ellos sobre lo que ocurre. También es importante que hables con los profesores si observas que tu hijo se está metiendo en problemas o que rinde poco.

El estrés laboral

El hecho de cuidar de tus padres puede tener una gran influencia en tu rendimiento profesional. Varios estudios han demostrado que entre un 20 y un 30 por ciento de las personas que cuidan de sus padres se toman bastantes días libres y que otro 20 a 30 por ciento deja el trabajo. Más aún, el estrés derivado de los cuidados puede desbordarse en el trabajo. Los síntomas conductuales del estrés laboral incluyen la disminución de la productividad, la evitación del trabajo, la dilación, el aumento de hostilidad hacia el jefe o hacia los compañeros de trabajo, la insatisfacción laboral, el aumento de la fatiga, el sentirse «quemado» por el trabajo y el aumento de las bajas.

Si trabajas fuera de casa, responde a las preguntas de la siguiente autoevaluación de cambios en el trabajo.

Evaluación de cambios en el trabajo

1. ¿Cuántas horas trabajas fuera de casa?
2. ¿Has tenido que ajustar tu horario de trabajo para cuidar de tus padres?

   a) Sí, recortar horas.
   b) Sí, coger días libres.
   c) Sí, dejar el trabajo.
   d) Ningún cambio.

3. ¿Has pensado en dejar el trabajo para cuidar de tus padres?
4. ¿Has pensado alguna vez que tus padres estarían mejor si dejases el trabajo?
5. ¿Has hablado sobre dejar el trabajo con los miembros de tu familia o con otras personas?
6. ¿Has hablado sobre dejar el trabajo con tus padres?
7. ¿Es probable que dejes el trabajo para cuidar de tus padres en un futuro próximo?

No hay una puntuación total en este ejercicio. Las preguntas tratan de ayudarte a analizar lo cerca que puedes estar de tomar la decisión de dejar el trabajo. Si eres infeliz y estás preocupado por tu capacidad para continuar trabajando pero quieres o debes seguir trabajando para mantener a tu familia, habla con el jefe o con alguna persona del programa de ayuda al empleado de tu empresa. Actualmente existen empresas que tienen programas privados de ayuda al empleado que ofrecen una amplia variedad de talleres y cursos para ayudarte a manejar tus problemas, incluyendo la atención a las necesidades de los padres ancianos y los parientes. Algunos de estos cursos tratan el asesoramiento personal, clases de manejo de estrés, reciclaje, asesoramiento sobre la carrera profesional, programas de cuidado infantil, y programas de nutrición y cuidado de la salud.

La suma de tensiones vitales

El cuidado de tus padres puede ser una fuente potencial de estrés para ti y para tu familia, pero hay otros cambios en la vida que probablemente también te afectarán. La investigación de Thomas Holmes de la Universidad de Washington y Richard Rahe de la Unidad de Investigación Neuropsiquiátrica de la Marina americana supuso un avance en la identificación de los acontecimientos vitales que más estrés causan y de los que se asocian con problemas de salud.[14] Ellos construyeron la Social Readjustment Rating Scale, que reproducimos a continuación.

Lee los ítem de la escala y rodea con un círculo el número que represente acontecimientos que hayas vivido en los últimos seis meses. Después, rodea con un círculo las unidades que corresponden a cada uno de estos sucesos en la derecha de la página.

14. Thomas Holmes y Richard H. Rahe «The Social Readjusment Scale», *The Journal of Psychometric Research,* 1967, 11: 213-218. Con permiso de Pergamon Press Ltd., Oxford, England.

Rango	Acontecimiento vital	LCU
1	Muerte del cónyuge	100
2	Divorcio	73
3	Separación matrimonial	65
4	Prisión	63
5	Muerte de un familiar cercano	63
6	Lesiones o enfermedad	53
7	Matrimonio	50
8	Ser despedido del trabajo	47
9	Reconciliación matrimonial	45
10	Jubilación	45
11	Cambio en el estado de salud de los padres	44
12	Embarazo	40
13	Dificultades sexuales	39
14	Un nuevo miembro en la familia	39
15	Reajuste laboral	39
16	Cambio en la situación financiera	38
17	Muerte de un amigo íntimo	37
18	Cambio a una línea diferente de trabajo	36
19	Cambio en el número de discusiones con el cónyuge	35
20	Hipoteca de más de 100.000 $	31
21	Extinción del derecho a redimir una hipoteca	30
22	Cambio de responsabilidades en el trabajo	29
23	Un hijo se marcha de casa	29
24	Problemas con la familia política	29
25	Logros personales excepcionales	28
26	El cónyuge empieza o deja de trabajar	26
27	Comenzar o terminar la escuela	26
28	Cambios en las condiciones de vida	25
29	Cambio de hábitos personales	24
30	Problemas con el jefe	23
31	Cambio en las condiciones u horario de trabajo	20
32	Cambio de residencia	20
33	Cambio de escuela	20
34	Cambio en las actividades de ocio	19
35	Cambio en las actividades religiosas	19
36	Cambio en las actividades sociales	18

Rango	Acontecimiento vital	LCU
37	Hipoteca o crédito de menos de 100.000 $	17
38	Cambio en los hábitos de sueño	16
39	Cambio en el número de encuentros familiares	15
40	Cambio en los hábitos alimentarios	13
41	Vacaciones	13
42	Navidades	12
43	Violaciones menores de la ley	11

Suma las unidades de cambios vitales que has rodeado. La puntuación total es la suma de los cambios que han ocurrido en tu vida —los buenos y los malos— a lo largo de los últimos seis meses. Un total de 150 a 199 LCUs define una crisis vital leve, de 200 a 299 LCUs una crisis vital moderada, y cualquier puntuación superior a 300 una crisis vital importante. Una puntuación muy alta indica que corres el riesgo de sufrir problemas de salud. Aunque no todos los que tienen una puntuación alta enferman, si tu puntuación es alta, sería conveniente que hablases con un amigo o con un profesional.

Analiza tu estilo de afrontamiento

El cuidar de tus padres es un acontecimiento vital importante que requiere un afrontamiento activo. La extensa literatura científica sobre el manejo del estrés muestra que las personas tienen distintos estilos de afrontamiento. El *afrontamiento* se define como cualquier respuesta emocional, cognitiva o conductual para reducir, prevenir o eliminar el estrés. Algunos ejemplos del estilo de afrontamiento emocional serían enfadarse o amargarse, sentirse triste y deprimido, o sentirse angustiado y preocupado. El afrontamiento cognitivo incluye una gama de respuestas como aceptar la situación, marcarse metas para manejar los problemas, encontrar diferentes soluciones, negar o suprimir cualquier pensamiento y apoyarse en la religión o en la oración. Las respuestas conductuales o de resolución de problemas incluyen buscar información relevante, buscar apoyo emocional o unirse a un grupo de apoyo, o cambiar algo sobre ti mismo para ser capaz de manejar la situación con más éxito.

Para saber qué estilos de afrontamiento utilizas, responde sí o no a las siguientes afirmaciones:

He aceptado la situación.
Me niego a que me afecte.
He hecho todo lo que he podido.
He esperado a que el problema se resuelva solo.

Si has contestado afirmativamente a cualquiera de estos ítem, utilizas un sistema de afrontamiento conocido como aceptación. Es útil aceptar lo que te está ocurriendo. Puede que no seas capaz de cambiar lo que les está ocurriendo a tus padres, pero puedes aceptar la realidad.

Ahora contesta a estos ocho ítem, de nuevo con un sí o un no:

Me deprimí y entristecí.
Me enfadé, amargué o estuve resentido.
Me preparé para lo peor.
Traté de ver el lado positivo de la situación.
Oculté mis sentimientos.
Traté de reducir la tensión comiendo o bebiendo.
Traté de reducir la tensión fumando más.
Traté de reducir la tensión haciendo más ejercicio.

Si has contestado afirmativamente a alguna de estas proposiciones estás utilizando estrategias de afrontamiento basadas en las emociones.

Continúa con los siguientes nueve ítem, contestando de nuevo sí o no:

Fui creativo al resolver el problema.
Encontré dos soluciones distintas al problema.
Cambié para poder afrontar mejor la situación.
Hice algo totalmente nuevo para resolver el problema.
Leí libros, periódicos, y/o artículos de revista para aprender a manejar el problema.

Me basé en mi experiencia pasada.
Afronté los problemas de uno en uno.
Hablé con un profesional sobre la situación.
Hablé con mi cónyuge o con otro pariente sobre la situación.

Si has contestado sí a cualquiera de estas acepciones, estás utilizando estrategias de resolución de problemas.

Ahora responde a los últimos dos ítem:

Me apoyé en la religión o en la oración.
Esperé que ocurriese un milagro.

Un sí a cualquiera de estas afirmaciones indica que estás utilizando estilos de afrontamiento intrapsíquicos o espirituales.

No hay puntuación en este ejercicio. Su propósito es ayudarte a identificar y clarificar el estilo de afrontamiento que utilizas. La mayoría de las personas utiliza varios estilos diferentes de afrontamiento y comprueba que algunos son más eficaces que otros. Generalmente, hacer algo respecto a tu situación, marcarte metas, buscar información, y buscar el apoyo emocional y el aliento de otros es eficaz a largo plazo, aunque no tengas un éxito inmediato.

Las respuestas emocionales negativas persistentes no sólo llevan a un estado psicológico negativo, sino que impiden que hagas algo para aliviar tu estrés, expresar tus sentimientos, y modificar la situación. Si, por ejemplo, acabas de ingresar a tu padre o a tu madre en un asilo, es normal sentir diversas emociones: ira, culpa, tristeza. Pero si continuas sintiendo estas emociones negativas sin adoptar estrategias de afrontamiento cognitivas y conductuales para aceptar lo que ha habido que hacer, probablemente tu salud se verá afectada. Hay evidencias de que más de un tercio de las personas que cuidan de sus padres sienten un estrés importante después de ingresarles en un asilo y continúan utilizando estrategias de afrontamiento inadecuadas. Un alto porcentaje utiliza drogas para los nervios, bebe en exceso y continúa sintiéndose deprimido y culpable. Continuar sintiendo ira, depresión y ansiedad durante mucho tiempo es peligroso para tu salud.

La siguiente historia no trata sobre una situación familiar anómala ni complicada. Ilustra los horribles problemas en que se puede meter una familia cuando pierde el control. ¡Estas situaciones se pueden prevenir!

Doris Gordon invitó a su padre, Bob, a vivir con ella tras la muerte de su madre. Seis meses después, él empezó a tener vértigo y problemas de memoria cada vez mayores, y finalmente los médicos le diagnosticaron la enfermedad de Alzheimer.

A Doris le resultaba cada vez más difícil manejar a su padre a medida que la enfermedad avanzaba. Habitualmente tardaba al menos tres horas en levantarle por la mañana, alimentarle y vestirle. Se sentía atrapada por la presión que suponía tener que hacer todo, pero no quería pedir ayuda. Quería cuidarle sola y seguir atendiendo su negocio. Después de todo, había cuidado de su marido durante cuatro años antes de que éste muriese, y no haría menos por su padre.

Doris tenía tres hijas —Julie, Ellery y Alice— pero no quería molestarlas para pedirles ayuda. Las dos mayores, Julie y Ellery, tenían sus propias familias y ocupaciones. La menor, Alice, era esquizofrénica y había sido una constante preocupación durante años. Alice tenía su propio apartamento y un trabajo como cajera, pero Doris aún le daba dinero todos los meses para el alquiler y la comida.

Bob empezó a tener episodios violentos casi a diario. Incluso hirió a Doris en más de una ocasión. Doris comenzó a sentir miedo, y utilizó diversos métodos de control para tratar con él durante varios meses. Le ponía esposas o le ataba a la cama mientras dormía. Esto le permitía dejarle solo durante horas y salir a tratar con sus clientes.

Doris veía negro su futuro. Nunca pensó que podría tener dificultades económicas serias. Su negocio tenía éxito, pero no era suficiente para satisfacer sus necesidades económicas a largo plazo. Doris estaba asustada por primera vez en su vida. Este miedo al futuro, junto con los arrebatos repentinos de su padre y las presiones de sus clientes, empujó a Doris al límite, hasta el punto de maltratar a su padre.

Esta desconcertante historia es sólo un ejemplo de lo que puede ocurrir cuando la vida familiar es perturbada por la suma de tensiones de la vida cotidiana. Generalmente, los problemas graves surgen cuando los factores que causan estrés son dañinos, duran mucho tiempo y sobrepasan tu capacidad para hacerles frente. El estrés grave no sólo puede llevar a la negligencia o la violencia, sino que puede intensificar otros problemas familiares.

Las personas que cuidan de sus padres tienen un alto riesgo de sufrir problemas graves de salud mental que pueden llevarles a hacer daño a otras personas (esto les puede ocurrir incluso a personas como Doris Gordon, que había aguantado otras crisis en el pasado). Desgraciadamente, con frecuencia otros miembros de la familia no admiten que algo va mal, y generalmente el «maltratador» siente demasiada vergüenza o temor para pedir ayuda. Ellery y Julie siempre habían considerado a su madre como una mujer incansable, de gran voluntad y capaz, y no se dieron cuenta de que las llamadas que Doris les hacía diariamente eran un grito de socorro. Doris les repetía que lo estaba llevando muy bien, y sus hijas no percibieron las señales de que no todo iba bien.

Hay distintos tipos de maltrato: físico, material y abandono. Entendemos por maltrato físico el infligir dolor físico, lesionar o imponer limitaciones no razonables deliberadamente. El maltrato material es el mal uso de los bienes, propiedades o dinero de un pariente. Puede incluir fraude intencionado, la mala administración de las finanzas, el robo de dinero y el desvío de ingresos. El abandono es la privación de comida adecuada, ropa, cuidados sanitarios o refugio que pone en peligro la salud del anciano.

Afortunadamente, estamos empezando a comprender las causas de estas interacciones destructivas así como lo que se puede hacer para prevenirlas. En realidad el maltrato físico y el abandono son resultados comunes del estrés severo e implacable asociado a la responsabilidad del cuidado de un pariente crónico incapaz. Tienen mayor probabilidad de aparecer cuando la persona encargada del cuidado de sus padres está deprimida o no recibe ayuda y apoyo de otros miembros de la familia o del clero o de otros servicios. Es precisamente aquí donde reside el problema.

Habitualmente los cuidadores creen que pueden hacerlo todo solos y rechazan la ayuda que otros les ofrecen. Otras veces, los demás no son conscientes de la gravedad de la situación. Por ejemplo, Doris creyó que podía llevarlo sola y no pidió ayuda.

Finalmente, Doris siguió el consejo de su párroco y fue al psiquiatra. El psiquiatra le diagnosticó una depresión y le recomendó una combinación de medicación antidepresiva y psicoterapia. En cierto sentido Doris se sintió aliviada al saber que tenía una enfermedad mental porque esto explicaba por qué había maltratado a su padre de aquella manera. Por otra parte, estaba avergonzada y preocupada por la posibilidad de que su familia y sus amigos no lo comprendieran. El psiquiatra le pidió a Doris que invitase a sus hijas a una sesión conjunta para explicarles lo que había ocurrido e implicarlas en la planificación del futuro. Doris no podía continuar cuidando de su padre sola. Tenía que permitir que sus hijas la ayudasen.

Aunque no hay una forma correcta de cuidar de alguien, sí hay algunas formas equivocadas. Una de ellas es hacerlo todo solo y ocultar tus necesidades a los demás. El resultado puede ser desastroso, como ocurrió en el caso de Doris, que sufrió una depresión y después perdió el control entrando en una relación violenta con su padre. ¿Cómo pudo llegar a la violencia? Cuando su padre enfermó, Doris empezó a regirse por dos reglas simples: «Sigue trabajando» y «Puedes hacerlo todo sola». Y cuanto más enferma estaba, más se apoyaba en estas normas. Se obligaba a cuidar de él y a atender a los clientes —lograba hacerlo todos los días—. No obstante, a la larga, su fuerte voluntad la incapacitó. Doris se centraba tanto en sus estrechas reglas que era incapaz de ver lo que estaba sucediendo. No permitió que nadie le ofreciese otro punto de vista, y lo único que tenía era su voluntad de seguir adelante. Ningún ser humano puede resolver sus problemas mediante la simple fuerza de voluntad.

¿Qué se puede hacer cuando las cosas están realmente fuera de control?

Cuando tengas problemas ¡pide ayuda! Necesitas que otra persona te ayude con lo que está pasando, bien sea un asesor o un amigo. Como comentamos en el capítulo 3, no hay nada malo en buscar ayuda profesional. Ésta podría ser la forma más rápida de recuperar el control de tu vida. No te empeñes en hacerlo solo. Puede que no seas capaz de liberarte de tus tensiones sin la ayuda de otros.

No sufras por la falsa idea de que tienes el control. Puede que realmente creas que estás manejando la situación como lo haría cualquier otra persona. Puede que esta opinión sea absolutamente correcta, o puede que sea una ilusión.

Hay una historia sobre un prisionero que está atado en un profundo foso. Tras realizar un gran esfuerzo suelta las ataduras y grita: «¡Estoy libre! ¡Estoy libre!». Es cierto que el prisionero está más libre, porque es capaz de moverse, pero esta libertad es una ilusión. Aún está en el fondo del foso y para salir no sólo necesita liberarse de las ataduras, sino también conseguir ayuda del exterior.

Como ya hemos comentado a lo largo de este libro, necesitas conocerte a ti mismo y saber cómo cuidarte, al igual que los atletas conocen su capacidad física y se entrenan para mantener y mejorar esa capacidad. También es necesario que conozcas a tu familia y sus necesidades, las necesidades de tus padres y todos los recursos de que dispones, la gravedad del problema y qué tipo concreto de ayuda es necesaria.

No obstante, hay ocasiones en que no hay nada que pueda hacer que el resultado sea distinto. No todos los problemas se pueden resolver. Todos aceptamos que los impuestos y la muerte son inevitables, pero la forma de manejarlos puede afectarnos profundamente.

Después de esforzarnos para proporcionar cuidados, puede que al final tengamos que afrontar que no puede hacerse nada más. La muerte puede ser un alivio para algunos y una tragedia para otros. El proceso de cuidar de una persona a la que amas o a la que estás muy unido cuando se está muriendo puede ser horrible. El siguiente capítulo analiza ese proceso con la esperanza de poder ayudarte a afrontar el hecho inevitable de la vida: la muerte.

7

Distanciarse y seguir adelante

Distanciarse y seguir adelante puede ser la parte más difícil del proceso, porque implica llegar a un acuerdo con tus padres y contigo mismo. No hay recetas simples para conseguirlo, porque cada persona es diferente. No obstante, hay algunos libros útiles que pueden ayudarte a reflexionar sobre tu experiencia y quizá también a comprender mejor lo que ha ocurrido. La antología de Ralph Keyes, *Sons on Fathers*, expresa perfectamente la relación intensa y cambiante entre padres e hijos a lo largo del ciclo de la vida. Lo mencionamos aquí porque el tema de este libro es el mismo de este capítulo. Como afirma Keyes: «La reconciliación no siempre es posible. La comprensión sí».

LAS SIETE FASES DEL PROCESO DE SEGUIR ADELANTE

El proceso de distanciarse y seguir adelante consta de al menos siete fases. En realidad, las tres primeras son cuestiones que se deben abordar en las primeras etapas del proceso de cuidado; las cuatro últimas son para más tarde. Estas siete fases son las siguientes:

1. Abandona la idea de que diriges la vida de tus padres.
2. Pon límites a lo que haces.
3. Deja que otros ayuden.
4. Mantén cierta distancia compasiva con tus padres a medida que empeoran.

5. Si es necesario, deja que tus padres se trasladen a un piso tutelado o a un asilo.
6. Prepárate para la agonía y la muerte.
7. Sigue adelante.

En cierto sentido, el proceso de distanciamiento comienza en el momento en que empiezas a cuidar de tus padres y a definir tu papel en esta tarea. Esta primera fase del proceso de distanciarse se enfrenta con tu labor en el contexto real de la situación. Como hemos visto, tu papel es cuidar de tus padres, no dirigir ni manipular sus vidas como mejor te parezca. Una norma útil es la siguiente: haz por tus padres lo que te gustaría que hiciesen por ti. También hay otra versión de esta regla: no hagas a otros lo que no te gustaría que te hicieran a ti.

La segunda fase consiste en ser consciente de que aunque haya muchas cosas que puedes hacer para ayudar a tus padres, también existen unos límites. Debes dominar la idea de que puedes rescatarles de la progresión inevitable de una enfermedad crónica, pero trata de hacer lo que puedas para ayudarles sin perder la esperanza. Hay algunos momentos, sobre todo cuando tus padres están próximos a la muerte, en los que puedes hacer poco más que estar con ellos. ¡Pero esto es importante! Un ser humano puede dar apoyo, afecto y conmoverse para aliviar el dolor y la soledad de otro.

La tercera fase consiste en dejar que otros ayuden a tus padres. Como comentamos anteriormente, esto implica que debes permitir que auxiliares domiciliarios, asistentes y enfermeras vayan a casa o apuntar a tus padres en programas de centro de día o de descanso en la comunidad. Si encuentras buenos ayudantes puedes lograr que tus padres continúen viviendo en casa en vez de ingresar en un asilo. También hay evidencias de que mucha gente mayor prefiere recibir ayuda remunerada en vez de la ayuda de los familiares para las actividades de cuidado personal. Esto preserva la dignidad de la persona que necesita ayuda y su lugar en la familia, y reduce su sentimiento de culpabilidad por tener que molestar a la gente que ama.

El cuarto desafío consiste en aprender habilidades para lograr estar cerca de tus padres a la vez que guardas cierta distancia. Esta es una paradoja de la vida familiar que anima a los miembros de la familia a ser al mismo tiempo dependientes e independientes. Varios terapeutas de familia han descrito la pertenencia a una familia como un sentimiento especial que da a las personas tanto «alas» como «raíces». Esta aparente contradicción está presente en todos los aspectos de la vida familiar, pero cuando los padres envejecen y están débiles, es esencial que los miembros de la familia encuentren formas concretas de ser compasivos sin sentirse tan agobiados que pierdan la habilidad para tomar decisiones sensatas. Aunque a veces te distancies de ellos, esto no significa que no te preocupes por ellos. Por el contrario, significa que sabes mantener la distancia emocional apropiada para protegerles tanto a ellos como a ti y así poder cuidar de ellos y de los demás.

Si estás demasiado «encima» puedes asfixiarles y hacer que se comporten como niños. Este tipo de comportamiento no sólo no ayuda a tus padres, sino que hace que te resulte más difícil manejar los problemas que necesitan un juicio maduro. Por otra parte, mantener demasiada distancia conlleva otros problemas. El reto consiste en admitir que se necesita una distancia emocional adecuada y que regular la cercanía y la distancia emocional es un proceso dinámico, cambiante.

En algunos casos existe una quinta fase que consiste en encontrar un piso tutelado o un asilo. Esta fase puede ser traumática porque generalmente es la última opción, a la que se recurre cuando la familia ha agotado sus recursos personales y económicos. La triste ironía es que incluso después de que se haya conseguido que el anciano viva en casa durante muchos años, al final puede ser necesario el traslado a una institución. Desgraciadamente, el traslado de un familiar a un asilo habitualmente se acompaña de sentimientos de culpa, ira y preocupación. Muchos lo consideran un fracaso total.

El traslado a una institución debería ser considerado una cuestión técnica más que moral. Aunque las familias pueden proporcionar cuidados y apoyo, deberían admitir que las necesidades de un anciano enfermo pueden exceder su capacidad. No se considera un fracaso hospitalizar a una persona para llevar a cabo ciertos procedimientos médicos que no pueden hacerse en consulta externa. De igual manera, si tus padres necesitan un nivel de cuidados de enfermería que tu familia no puede proporcionar, el traslado a un entorno más estructurado se convierte en una opción importante. Es un error creer que este tipo de cuidado es malo, evitar pensar en esta posibilidad, no interesarse por los recursos que existen, y después quedar atrapado en una situación crítica y tener que optar por un entorno menos óptimo, que posteriormente nos cree culpabilidad.

El sexto punto hace referencia a lo que le ocurre a todo el mundo: la muerte. Ésta puede ser rápida, o puede prolongarse con dolor y sufrimiento. La realidad simple e irrevocable de la vida es que todos vamos a morir. Por tanto, lo mejor que puedes hacer es estar preparado. Habla sobre ello con tus padres y con otros miembros de la familia, y prepara un plan de acción por escrito para ambos, para ellos y para ti. Este plan debería cubrir cuestiones básicas como el funeral, el entierro y el testamento. Todos nosotros necesitamos que nuestros supervivientes lleven a cabo nuestros deseos, y debemos proporcionarles toda la ayuda posible para que puedan hacerlo. Las terribles disputas familiares concernientes a cada cuestión implicada en la muerte pueden y deben evitarse mediante el diálogo. Es realista e importante plantear las decisiones para que todos sepan lo que tus padres quieren que les ocurra. Existen cuestiones importantes, desde la autopsia hasta quién recibirá recuerdos familiares, que deberían concretarse antes de que llegue la muerte.

La fase final viene tras la muerte, e implica integrar todo lo que ha ocurrido y continuar con tu vida. Hay una serie de libros que recogen lo que Louis Begley denominó «la humillación y la tortura que la vejez y la ciencia médica infringen a los padres». Pero muchos otros libros son testimonio de la belleza del espíritu humano. Algunos de los mejores son *Patrimony* de Philip Roth, *A Very Easy Death* de Simone de Beauvoir y *Someday* de Andrew Malcolm. Todos reflejan cómo consiguió cada uno de los autores comprender mejor a sus padres y a su familia.

El cuidado te lleva a través de un proceso de dolor y curación. La última parte del proceso consiste en reestructurar tu vida y seguir adelante. Esto requiere no sólo un esfuerzo deliberado, sino paciencia y aceptación para dejar que el tiempo te cure. Hay una historia sobre un viejo rey que se había cansado de luchar en las batallas emocionales del envejecimiento. Para su centésimo cumpleaños hizo saber que quería algo que le hiciese sentir feliz cuando estuviese triste y triste cuando estuviese contento. Un hombre muy sabio le llevó un anillo que había hecho él mismo y que tenía una única inscripción: esto también pasará.

Abandona la idea de que diriges la vida de tus padres

Puede que actúes como consejero de tus padres y en ocasiones como defensor de su bienestar. Puede que incluso tengas autoridad fiscal o el derecho a obtener o rechazar cuidados médicos para ellos. No obstante, tú no les controlas. Ellos tienen derecho a tomar las decisiones sobre su propia salud, estilo de vida, cuerpo y propiedades, y a poner en práctica esas decisiones como deseen. Tu papel no consiste en tomar las decisiones por ellos, pero cuando te sea posible ayúdales a conseguir información, a clarificar sus opciones, a comprender las consecuencias de las distintas opciones y a descubrir qué valores y creencias están motivando sus decisiones. Aunque no puedas dirigirles, puedes hacer cosas para promover su salud y bienestar general. Habrá momentos en los que no estés de acuerdo con las decisiones que ellos tomen. En estas ocasiones deberías poner un cuidado especial en comprenderles a ellos, sus necesidades y deseos.

La atención médica es un área en la que puedes jugar un importante papel, pero, de nuevo, los deseos de tus padres son los que dictan lo que ocurre. También puedes mejorar la calidad de la atención que reciben tus padres cuando son hospitalizados o trasladados a un asilo. Lo más probable es que ayudes a tomar muchas decisiones difíciles, y dada la naturaleza de la atención médica actual, tratarás con un gran número de personas: agentes de seguros, abogados, administradores del hospital, muchos médicos diferentes, enfermeras, asistentes sociales, terapeutas y otros profesionales.

Tienes la importante responsabilidad de informarte sobre lo que está ocurriendo y ayudar a que tus padres estén informados. Los médicos son expertos en medicina, y otros profesionales son expertos en sus áreas, pero tus padres son expertos en saber lo que sienten, y tú eres un experto en tu familia. Se toman mejores decisiones sobre los cuidados médicos cuando todos trabajan juntos. Tu responsabilidad es asegurarte de que tus padres tienen la información que necesitan para poder tomar decisiones conscientes. Esto puede ser especialmente difícil cuando están en un hospital y la enfermedad física y mental deterioran su capacidad para tomar decisiones. Pero es aún más difícil si tú y tus padres no habéis hablado sobre estas cuestiones con anterioridad. Por tanto, una forma positiva de distanciarte es ser activo y permitir a tus padres que se preparen para tomar decisiones en un futuro en el que quizás ya no sean capaces de expresar sus deseos.

Si tus padres están gravemente enfermos, en un estado de confusión permanente, o tan deteriorados a nivel cognitivo por la demencia que son incapaces de tomar decisiones, sería conveniente que te preparases para afrontar tiempos difíciles. Hay dos documentos sobre los que tú y tus padres deberíais hablar: el testamento y un poder notarial para la toma de decisiones. Estas «directivas anticipadas» son herramientas legales que especifican las preferencias de una persona con antelación, para cuando ésta es incapaz de expresarlas. Se preparan cuando el individuo está bien, pero entran en vigor sólo si éste queda incapacitado. Utilizados juntos o por separado, un testamento y un poder notarial os serán útiles a ti y a tus padres. La doctora Nancy Dubler, una especialista en bioética de Nueva York, proporciona información detallada sobre estas dos herramientas en su libro *Ethics on Call.*[15]

Sugiere a tus padres que hablen sobre este tema con su médico en su próxima visita o chequeo. La doctora Dubler propone una lista de diez preguntas a las que pueden responder para estimular el diálogo.

- ¿Qué problemas de salud creo que pueden surgir en el futuro dado mi estado de salud actual, mi historial médico y el de mi familia?
- ¿Qué caminos puede tomar mi estado actual que puedan

15. Nancy Neveloff Dubler y David Nimmons, *Ethics on Call: A Medical Ethicist Shows How to Take Charge of Life-and-Death Choices*. Copyright 1992 by Nancy Harmony Books, una sección de Crown Publishers, Inc.

perjudicar mi habilidad para participar en la toma de decisiones sobre mi cuidado? ¿Es eso probable?

- ¿Hay algún libro o artículo sobre mi estado que yo pueda leer?
- ¿Qué opináis sobre tener que cumplir cualquier instrucción específica que yo pueda dejar sobre mi cuidado? ¿Pondríais objeciones a una orden o directiva de «No Resucitar» en ciertas circunstancias para terminar el cuidado?
- ¿Puedo elegir a alguien para que tome las decisiones por mí? ¿Conocéis la ley y la práctica que regula este tipo de acuerdos? ¿Sabéis dónde puedo obtener información?
- ¿Cómo se comunican mis deseos al hospital en caso de estar hospitalizado?
- ¿Te ves como abogado defensor de mis deseos?
- ¿Estarías más cómodo cumpliendo los deseos que expreso en un testamento o las instrucciones específicas de la persona a la que he designado para que tome las decisiones por mí?
- ¿Qué opináis sobre retirar los respiradores o los tubos de alimentación de los enfermos terminales?
- ¿Ayudarías a los miembros de la familia o a los amigos a tomar esa decisión si mi situación fuese desesperada, y no tuviera ninguna posibilidad de recuperar la cordura o de comunicarme con otro ser humano?

Implicar a los médicos y a otros profesionales en la discusión de estas cuestiones proporciona una base para planificar el futuro y para comprender cuales serían los deseos de tus padres en ciertas circunstancias. Este conocimiento compartido puede ser una fuente de tranquilidad y alivio, porque las decisiones se toman antes de que surja la crisis. Este proceso te permite liberarte de las preocupaciones motivadas por la falta de preparación para tomar decisiones difíciles.

Pon límites a lo que haces

Dado que las necesidades de cualquier ser humano son virtualmente ilimitadas, las necesidades de tus padres podrían ser abrumadoras. Lo que puedes hacer por ellos tiene un límite. Piensa que no puedes satisfacer todas sus necesidades. Tanto éstas como sus intereses y derechos deben ser equilibrados con los del resto de la familia. Cuando uno de tus padres está en el hospital, hay ciertas normas claras para tomar decisiones sobre el cuidado médico. Los pacientes tienen derecho a tomar decisiones sobre su cuerpo si conservan la capacidad de toma de decisiones y a preparar «directivas anticipadas» por si quedan incapacitados.

Fuera del hospital deben tomarse muchas decisiones sobre la vida cotidiana en las que hay que compaginar las necesidades de tus padres con las de otros. Tú, como responsable principal de la familia, y otros miembros de ésta tenéis derecho a ser tomados en consideración en cualquier decisión que se tome. Las estrategias para ayudar a tus padres y para equilibrar las necesidades de la familia para adaptarse a los padres ancianos se comentan en el capítulo 5. Les guste o no a tus padres, necesitarán adaptarse a la capacidad de su familia para satisfacer sus necesidades.

Deja que otros ayuden

A lo largo de este libro hemos subrayado el valor del sistema social de apoyo y de los servicios comunitarios para liberarte de algunas de las obligaciones. Evalúate leyendo la siguiente lista de servicios y señala aquellos sobre los que hayas oído hablar y aquellos que has sido capaz de encontrar y utilizar para apoyar tus esfuerzos.

VALORACIÓN DE SERVICIOS COMUNITARIOS

	¿Los conoces?		**¿Los has utilizado?**		**¿Cuántas veces al mes los has utilizado?**
Servicios legales	Sí	No	Sí	No	____________
Servicios de ayuda económica	Sí	No	Sí	No	____________
Servicios de comida	Sí	No	Sí	No	____________
Servicios de reparación de averías	Sí	No	Sí	No	____________

VALORACIÓN DE SERVICIOS COMUNITARIOS

	¿Los conoces?		¿Los has utilizado?		¿Cuántas veces al mes los has utilizado?
Servicios de limpieza	Sí	No	Sí	No	___________
Servicios de cuidado	Sí	No	Sí	No	___________
Servicios de compañía	Sí	No	Sí	No	___________
Servicios de transporte	Sí	No	Sí	No	___________
Servicios de compra	Sí	No	Sí	No	___________
Asistencia telefónica	Sí	No	Sí	No	___________
Servicios de ayuda a domicilio	Sí	No	Sí	No	___________
Centros de día	Sí	No	Sí	No	___________
Grupos de apoyo familiar	Sí	No	Sí	No	___________

Mantén una distancia compasiva con tus padres a medida que empeoran

Cuando estás con una persona que está muy enferma, sufriendo un gran dolor y muriéndose, las emociones que sientes pueden ser abrumadoras. Si dejas que estos sentimientos te incapaciten, te resultará imposible ayudarles o protegerte. Los médicos y otros profesionales de la salud reciben un entrenamiento clínico que les enseña a ser al mismo tiempo compasivos y distantes. Estos profesionales se preparan con muchos pacientes bajo supervisión, y muchos de ellos aún tienen dificultades para manejar el aspecto emocional de la atención médica.

El equilibrio entre ser insensible y estar emocionalmente desbordado requiere que te organices para estar con tus padres y alejado de ellos. Haz un horario para pasar tiempo con tus padres, pero es importante que encuentres formas de escaparte tú solo o con amigos, que descanses y que realices actividades agradables para compensar el dolor y la angustia. Si eres emocionalmente débil, si no puedes centrarte en nada ni en nadie y no puedes escaparte, o estás enfadado, insensible e irritado la mayor parte del tiempo, puede que necesites ayuda. Vuelve al capítulo 3 y repasa el material sobre la depresión. Piensa en buscar a un profesional y hablar con él.

Deja que tus padres se trasladen a una residencia de apoyo o a un asilo si es necesario

Ésta puede ser una de las decisiones más difíciles y traumáticas, sobre todo cuando tus padres te han dicho muchas veces «No me metas en un asilo» o cuando les has prometido que no lo harías. Los asilos pueden ser una alternativa necesaria. Generalmente tomar esta decisión es un proceso complejo y desagradable. Afortunadamente, Seth Goldsmith ha escrito una excelente guía titulada *Choosing a Nursing Home,* y también nosotros hemos escrito un capítulo detallado sobre este tema en nuestro libro *The Loss of Self: A Familiy Resource for Alzheimer's Disease.*

La mayoría de la gente no piensa que un día va a ingresar en un asilo, pero un estudio reciente muestra que casi la mitad de los americanos que alcanzan los 65 años pasan algún tiempo en un asilo. Aproximadamente 1,5 millones de americanos viven en residencias en este momento, y si continúa la tendencia actual, se calcula que dentro de 40 años aproximadamente seis millones de personas podrían vivir en estos lugares.

Los asilos son alternativas importantes y necesarias cuando los ancianos sufren una enfermedad crónica, están impedidos y no hay otros recursos disponibles. El siguiente cuestionario breve fue construido por Richard Morcyz, un psicólogo de la Universidad de Pittsburgh, para cuantificar el deseo de ingresar a los padres en una residencia de ancianos.[16] Responde a las seis preguntas tan sinceramente como puedas.

16. Richard Morcyz, *Research on Aging*, 7:3, 1985, 329-361. Copyright 1985. Con permiso de Sage Publications, Inc.

Valoración: deseo de ingresar a tus padres en una residencia

¿Has pensado alguna vez en ingresar a tus padres en un asilo o en un servicio de cuidado asistido?	Sí	No	No sé
¿Has pensado alguna vez que tus padres estarían mejor en un asilo	Sí	No	No sé
¿Has hablado alguna vez sobre este tema con miembros de tu familia o con otras personas?	Sí	No	No sé
¿Has hablado alguna vez sobre este tema con tu padres?	Sí	No	No sé
¿Es probable que ingreses a tus padres en un asilo?	Sí	No	No sé
¿Has hecho trámites para ingresarles?	Sí	No	No sé

Suma un punto por cada ítem al que hayas contestado afirmativamente. Si tu puntuación es igual o mayor que 3, debes dedicar tanto tiempo y esfuerzo a seleccionar el asilo adecuado para tus padres como lo harías para buscar una nueva casa. Esto significa que necesitas obtener información para tomar una decisión consciente y que necesitas visitar estas instituciones para encontrar una que tanto tú como ellos podáis aceptar. Te interesará encontrar un lugar que potencie las diferencias individuales, la intimidad y la libertad de elección a cualquier hora del día, y en el que la vida esté reglamentada lo menos posible.

Prepárate para la agonía y la muerte

Inventa un plan. Estudia todo lo que podría ocurrir cuando tus padres mueran y construye un plan basado en los valores y deseos de tus padres. El siguiente formulario de valores, creado por las doctoras Joan McIver Gibson y Nancy Dubler, constituye un instrumento eficaz para que tú y tus padres abordéis cuestiones difíciles y dolorosas.[17] Responder a estas preguntas te ayudará a prepararte antes de que llegue la situación crítica.

17. Nancy Neveloff Dubler y David Nimmons, *Ethics on Call: A Medical*

FORMULARIO DE VALORES

La sección 1 formula una serie de preguntas sobre tu actitud hacia la salud; tu opinión sobre los médicos y enfermeras; tus ideas respecto a la independencia y el control; tus relaciones personales; tu actitud general ante la vida, la enfermedad, la agonía y la muerte; tus creencias religiosas; tu estilo de vida; tu opinión sobre las cuestiones económicas; e incluso tus deseos respecto a tu funeral. Hay muchas formas de abordar estas cuestiones. Puede que quieras escribir tus sentimientos antes de hablar con otra persona, o puede que prefieras empezar pidiendo a las personas que son importantes para ti que se reúnan y hablen sobre ti y sobre sus respuestas a estas preguntas.

La sección 2 te permite recoger las instrucciones orales y escritas que has preparado. Si no has hablado ni escrito sobre estos temas, puede que prefieras dejar esta sección y volver a ella cuando hayas completado la sección 1.

Generalmente es difícil reflexionar sobre estos temas íntimos y profundos, y resulta doloroso hablar sobre ellos. El objetivo del formulario de valores es ayudar a incitar y apoyar estas conversaciones cuando es más fácil mantenerlas, es decir, antes de que aparezca una situación crítica.

A medida que continúes creciendo y cambiando, también lo harán tus ideas y valores, y por tanto también muchos de los valores reflejados en este impreso. Puede que quieras revisar este formulario cada pocos años para reconsiderar y valorar de nuevo tus preferencias y deseos. El formulario de valores puede ser un documento importante cuando se está preparando el testamento o un poder notarial.

Nombre: ____

Fecha: ____

Si te ayudó alguien a completar este impreso, por favor anota su nombre, dirección y relación contigo.

Nombre: ______________________________________

Dirección: ____________________________________

____

Relación: _____________________________________

El objetivo de este formulario es ayudarte a pensar y a escribir sobre lo que es importante para ti respecto a tu salud. Si en algún momento te vuelves incapaz de tomar decisiones en lo concerniente al cuidado de tu salud, los deseos que expreses en este impreso pueden ayudar a otros a tomar las decisiones por ti de acuerdo con tu voluntad.

La sección 1 de este formulario te pregunta si ya has expresado tus deseos respecto al tratamiento médico mediante comunicados orales o escritos, y si no es así, si te gustaría hacerlo en este momento. La sección 2 te ofrece la oportunidad de reflexionar sobre tus valores, deseos y preferencias en diferentes áreas como las relaciones personales, tu actitud general ante la vida, y tu opinión sobre la enfermedad.

Sección 1

A. *Documentos legales escritos*

¿Has escrito alguno de los siguientes documentos legales? Si es así, por favor aporta la información que se te pide.

Testamento

Fecha: ____

Localización del documento: ____________________

Comentarios (mis limitaciones, peticiones especiales)

____

____

____

____

Poder notarial

Fecha: ____
Localización del documento: _________________________
Comentarios (¿a quién has nombrado para que tome las decisiones por ti?):

____

____

____

____

Poder notarial para tomar decisiones médicas

Fecha: ____
Localización del documento: _________________________
Comentarios (¿a quién has nombrado para que tome las decisiones?):

____

____

____

____

B. *Deseos concernientes a procedimientos médicos específicos*

Si alguna vez has expresado tus deseos respecto a alguno de los siguientes procedimientos médicos, bien sea por escrito o de palabra, por favor, aporta la información que se pide. Si no has indicado con anterioridad tus deseos respecto a estos procedimientos y te gustaría hacerlo ahora, completa este formulario.

Donación de órganos

Persona a la que se lo comunicaste: ______________________
Si fue de palabra, ¿cuándo? ______________________________
Si fue por escrito, ¿cuándo? ______________________________
Localización del documento: ___________________________
Comentarios: ______________________________________

Diálisis renal

Persona a la que se lo comunicaste: ______________________
Si fue de palabra, ¿cuándo? ______________________________
Si fue por escrito, ¿cuándo? ______________________________
Localización del documento: ___________________________
Comentarios: ______________________________________

Resucitación cardiopulmonar

Persona a la que se lo comunicaste: ______________________
Si fue de palabra, ¿cuándo? ______________________________
Si fue por escrito, ¿cuándo? ______________________________
Localización del documento: ___________________________
Comentarios: ______________________________________

Respiración

Persona a la que se lo comunicaste: ______________________
Si fue de palabra, ¿cuándo? ______________________________
Si fue por escrito, ¿cuándo? ______________________________
Localización del documento: ___________________________
Comentarios: ______________________________________

Persona a la que se lo comunicaste: ____________________
Si fue de palabra, ¿cuándo? ____________________
Si fue por escrito, ¿cuándo? ____________________
Localización del documento: ____________________
Comentarios: ____________________

C. *Preocupaciones generales*

¿Deseas hacer algún comentario general sobre la información que has proporcionado en esta sección?

____

____

SECCIÓN 2

A. *Tu actitud general hacia la salud*

1. ¿Cómo describirías tu actual estado de salud? Si actualmente tienes algún problema médico, ¿cómo lo describirías?

   ____

   ____

2. Si en la actualidad tienes algún problema de salud, ¿de qué forma, si es que lo hace, afecta a tu capacidad para desenvolverte?

   ____

   ____

3. ¿Cómo te sientes respecto a tu actual estado de salud?

   ____

   ____

4. ¿Hasta qué punto eres capaz de satisfacer las necesidades básicas de la vida (comer, preparar la comida, dormir, higiene personal, etc.)?

____

____

5. ¿Deseas hacer algún comentario sobre tu estado de salud general?

____

____

B. *Tu percepción del papel de tu médico y otros profesionales de la salud*

1. ¿Estás contento con tu médico?

____

____

2. ¿Confías en tu médico?

____

____

3. ¿Piensas que deberías tomar las decisiones finales respecto a cualquier tratamiento que pudieses necesitar?

____

____

4. ¿Cómo te llevas con los que te cuidan, incluyendo las enfermeras, terapeutas, capellanes, asistentes sociales, etc.?

____

____

5. ¿Deseas hacer algún comentario general sobre tus médicos y otros profesionales de la salud?

____

____

C. *Tu opinión sobre la independencia y el control*

1. ¿Qué importancia tienen la independencia y la autosuficiencia en tu vida?

   ____

   ____

2. Si experimentases una disminución de las capacidades físicas y mentales, ¿cómo afectaría a tu actitud hacia la independencia y la autosuficiencia?

   ____

   ____

3. ¿Deseas hacer algún comentario general sobre el valor de la independencia y el control en tu vida?

   ____

   ____

D. *Tus relaciones personales*

1. ¿Esperas que tus amigos, familia y otros apoyen tus decisiones respecto al tratamiento médico que puedas necesitar ahora o en el futuro?

   ____

   ____

2. ¿Has hecho algún trámite para que tu familia o amigos tomen decisiones sobre el tratamiento médico en tu nombre? Si es así, ¿quién accedió a tomar las decisiones por ti y en qué circunstancias?

   ____

   ____

3. ¿Por qué asuntos pendientes del pasado estás preocupado (p. ej., relaciones familiares y personales, negocios y cuestiones legales)?

   ____

   ____

4. ¿Qué papel juegan tu familia y tus amigos en tu vida?

5. ¿Deseas hacer algún comentario personal sobre las relaciones personales en tu vida?

E. *Tu actitud general ante la vida*

1. ¿Con qué actividades disfrutas (p. ej., entretenimientos, ver la televisión, etc.)?

2. ¿Te alegras de estar vivo?

3. ¿Crees que merece la pena vivir la vida?

4. ¿Hasta qué punto estás satisfecho con lo que has alcanzado en la vida?

5. ¿Qué te hace reír/llorar?

6. ¿Qué es lo que más temes? ¿Qué te asusta o inquieta?

7. ¿Qué objetivos tienes para el futuro?

____

____

8. ¿Deseas hacer algún comentario general sobre tu actitud general ante la vida?

____

____

F. *Tu actitud hacia la enfermedad, la agonía y la muerte*

1. ¿Qué será más importante para ti cuando estés muriendo (p. ej., comodidad física, ausencia de dolor, presencia de la familia, etc.)?

____

____

2. ¿Dónde prefieres morir?

____

____

3. ¿Cuál es tu actitud hacia la muerte?

____

____

4. ¿Qué opinas sobre la utilización de medios artificiales para prolongar la vida en una enfermedad terminal?

Coma permanente ________________________________

____

Enfermedad crónica irreversible (p. ej., la enfermedad de Alzheimer) ___________________________________

____

5. ¿Deseas hacer algún comentario general sobre tu actitud hacia la enfermedad, la agonía y la muerte?

____

____

G. *Tu educación y creencias religiosas*

1. ¿Cuál es tu educación religiosa?

____

____

2. ¿Cómo influyen tus creencias religiosas en tu actitud hacia la enfermedad grave o terminal?

____

____

3. ¿Encuentran tus actitudes hacia la muerte apoyo en tu religión?

____

____

4. ¿Cómo contempla tu comunidad religiosa, iglesia o sinagoga el papel de la oración o los sacramentos religiosos en la enfermedad?

____

____

5. ¿Deseas hacer algún comentario general sobre tus creencias y tu educación religiosa?

____

____

H. *Tu estilo de vida*

1. ¿Cómo has vivido durante los últimos diez años (p. ej., he vivido solo, con otros, etc.)?

____

____

2. ¿Hasta qué punto es difícil para ti mantener el estilo de

vida que a ti te gusta? ¿Tienes actualmente algún problema médico o enfermedad que pueda hacer más difícil que lo puedas mantener?

____

____

3. ¿Deseas hacer cualquier comentario general sobre tu estilo de vida?

____

____

I. *Tu actitud hacia el dinero*

1. ¿Te preocupas por tener suficiente dinero para tus cuidados?

____

____

2. ¿Preferirías gastar menos dinero en tu cuidado para así ahorrar más dinero para que lo hereden tus parientes y/o amigos?

____

____

3. ¿Desearías hacer algún comentario general sobre tu situación económica y el coste del cuidado médico?

____

____

J. *Tus deseos respecto a tu funeral*

1. ¿Cuáles son tus deseos respecto a tu funeral y entierro o cremación?

____

____

____

2. ¿Has hecho ya trámites para el funeral? Si es así, ¿con quién?

____

____

____

3. ¿Quieres hacer algún comentario general sobre cómo te gustaría que fuese tu funeral y entierro o cremación?

____

____

____

Preguntas optativas

1. ¿Cómo te gustaría que fuese tu necrológica?

____

____

____

____

____

2. Escribe una breves palabras que te gustaría que fuesen leídas en tu funeral

____

____

____

____

____

Sugerencias

Después de completar este impreso, puede que desees proporcionar copias a sus médicos y a otras personas encargadas del cuidado de su salud, a su familia, a sus amigos y a su abogado. Si tienes un testamento o un poder notarial para tomar las decisiones sobre el cuidado de la salud, puede ser conveniente que añadas copias de este impreso a esos documentos.

Existen otras cuestiones que han de ser abordadas antes del fallecimiento. Necesitas un plan de crisis sobre lo que harás después de su muerte.

La siguiente lista fue construida por Harris McIlwain y sus colegas.[18] Debería servir como base para una discusión. Después de leer todas las preguntas, escribe el plan y ponlo en lugar seguro.

ASUNTOS QUE DEBES RESOLVER TRAS EL FALLECIMIENTO

1. Encuentra las instrucciones para el funeral y entierro o cremación. Entérate de si los órganos han de ser donados a la ciencia.
2. Pide una docena de copias certificadas del certificado de defunción. Las necesitarás para reclamar subsidios privados y de la Seguridad Social así como para nombrar un nuevo beneficiario de bienes y propiedades si uno de los padres aún vive.
3. Lleva el testamento al notario después de que tu abogado lo haya revisado.
4. Solicita los subsidios por fallecimiento. Llama a tu agente de seguros y a la oficina de la Seguridad Social. Si uno de los padres aún está vivo, necesitarás una copia del certificado de matrimonio y ambos certificados de nacimiento.
5. Identifica los recuerdos familiares y repártelos. Esperemos que su asignación haya sido prevista; si no, busca ayuda para negociar esta distribución.
6. A medida que el dinero de pólizas de seguro y otros beneficios comience a aparecer, deposita estos ingresos en cer-

18. McIlwain Harris H., Steinmeyer Cori F., Debra Fulghum Bruce, R. E. Fulghum, y Robert G. Bruce. *The 50 + Wellnes Program*, 1990, John Wiley & Sons. Con permiso de John Wiley & Sons, Inc.

tificados de depósito bancarios a corto plazo. Éste no es un buen momento para pensar en inversiones, y el dinero obtendrá algún interés por un tiempo.

7. Paga las deudas y notifícalo a los acreedores. Asegúrate de verificar cualquier notificación de deuda a medida que la recibes.
8. Asegúrate de pagar todos los impuestos.
9. Si unos de los padres aún vive, cambia todas las designaciones de beneficiarios en el testamento, pólizas de seguro, inversiones, planes de jubilación, y otros que nombraban al fallecido como beneficiario. Cambia los nombres en cualquier cuenta conjunta.

Sigue adelante

Con frecuencia las personas que cuidan de sus padres afirman que después de que éstos han muerto, se preocupan por todas las cosas que deberían haber hecho por ellos. Los pensamientos y sentimientos sobre el pasado crecen dentro y no se irán. Hay tres técnicas que pueden ser útiles: Acostúmbrate a tu preocupación. Recuerda los buenos tiempos. Escribe un diario.

Acostúmbrate a tu preocupación. Parte del proceso de recuperación es un proceso de «descompresión». Puede que los amigos y familiares bien intencionados te digan que dejes de preocuparte, pero es más fácil decirlo que hacerlo. Recuerda las técnicas descritas en el capítulo 3: Permítete a ti mismo preocuparte. Acepta tu ansiedad. Observa las preocupaciones. El maestro japonés de Zen, Shunryu Rosh, explicó a sus alumnos cómo calmar la mente con la siguiente frase: «Dar a tu oveja o a tu vaca un gran campo espacioso es la forma de controlarla». Date a ti mismo espacio para que tus preocupaciones vaguen en vez de luchar para contenerlas.

Existen varias estrategias que puedes utilizar para hacer esto. Establece un límite de tiempo para la preocupación. Cuando te sientas nervioso, tómate cinco minutos para hacer lo siguiente:

Siéntate y haz una lista con tus preocupaciones. Después léelas en voz alta. Haz esto durante cinco minutos y luego deténte. No las contengas. Vuelve a lo que estabas haciendo, y comienza otra actividad.

Si es posible, encuentra a alguien en quien confíes para que escuche tus preocupaciones durante estas sesiones de cinco minutos. A medida que lees la lista de preocupaciones y las exageras con tu amigo, lo creas o no, puede que descubras que la preocupación deja paso a la risa. El acto catártico de liberar tus preocupaciones combinado con el alivio de la risa pueden producir lo que algunas personas describen como un sentimiento de purificación.

Recuerda los buenos tiempos. La segunda estrategia para seguir adelante es pensar en los buenos recuerdos. Puedes sustituir tus sentimientos de ansiedad y preocupación del presente por los buenos sentimientos asociados a un recuerdo feliz. Esta técnica es simple. Cuando te sientas consumido por las preocupaciones, tómate un descanso de cinco minutos, pero esta vez cierra los ojos y piensa en un tiempo en que sentías la felicidad, el triunfo, la alegría o la ternura. No tiene por qué ser un recuerdo de buenos tiempos con tus padres. Cuando te hayas encerrado en el recuerdo de un tiempo o lugar, da el siguiente paso: Crea tantos detalles en tu mente como te sea posible, como si estuvieses escribiendo una serie de instrucciones para una película. Después, cuando hayan transcurrido los cinco minutos ¡deténte!

Practicar este ejercicio mental te dará sensación de control sobre tus pensamientos. La sensación de que puedes controlar los pensamientos negativos y positivos te ayudará en el período de adaptación posterior al período de cuidados.

Escribe un diario. Si no has escrito un diario durante el tiempo que has estado cuidando de tus padres, aún puedes escribir uno para revisar lo que ha ocurrido. Este tipo de reminiscencia puede ser catártica porque te permite volver a vivir y repasar los buenos tiempos y los malos.

Algunas personas comentan que inicialmente ésta es una experiencia muy dolorosa. Sentarse a escribir puede llenarte de ansiedad o incluso de terror y provocar el deseo de escapar. La negación no es algo que ocurra una sola vez durante el cuidado. Es una forma de pensar y afrontar el dolor, y los sentimientos que provocan tus primeros apuntes pueden ser incómodos mientras manejas tu dolor.

No te obligues a escribir el diario. Puede que después de todo no estés preparado para ello. Si no puedes empezar transcurrida una semana, aparta la idea durante un mes, pero después inténtalo de nuevo. Puede que esta vez estés preparado. Algunas personas dicen que no son tanto sus recuerdos dolorosos lo que les impiden escribir como el que no se les ocurre qué escribir. Una forma útil de estimular tus recuerdos es ver fotografías, recortes, o repasar tus recuerdos. Rememorar estos recuerdos puede estimular o desencadenar un torrente de sensaciones, incluyendo detalles que pensabas que habías olvidado.

Empieza a escribir un diario, aunque creas que no eres especialmente bueno escribiendo. Cómprate un cuaderno y un bolígrafo especial y elige un momento del día para sentarte y escribir de 15 a 30 minutos. Puede que parezca una tontería comprar un bolígrafo especial, pero es parte de un proceso de tomar el control y de dedicación a la tarea.

Si no tienes las fotografías u otros recuerdos disponibles, utiliza las siguientes técnicas para recordar. Haz una lista de todas las cosas que recuerdas sobre tu infancia en casa, la casa de tus abuelos o en cualquier otro sitio que puedas utilizar para empezar a recordar. Después, piensa sobre las cosas felices y agradables que hiciste allí, así como sobre las personas que eran importantes para ti.

Superar los sentimientos difíciles

No todo el mundo puede superar fácilmente los recuerdos y sentimientos del período durante el cual cuidaron de sus padres. Las dificultades más comunes después de la muerte de los padres son la culpabilidad, el dolor prolongado y la ira.

Hazte las siguientes preguntas:

- Cuando piensas en tus padres, ¿interrumpen tu actividad el dolor, la culpa, la ira o la ansiedad?
- ¿Tienes problemas para dormir?
- ¿Te encuentras rumiando sobre cosas que deberías haber manejado de forma diferente? ¿Ocupa esto tu mente más de lo que piensas que debería hacerlo?
- ¿Notas que no quieres afrontar a las personas y actividades en tu vida?
- ¿Piensas que estás bebiendo o comiendo demasiado?
- ¿Trabajas hasta quedar exhausto para evitar pensamientos inquietantes?

Puede que contestes afirmativamente a la mayoría de estas preguntas y que te digas a ti mismo: «¿Y qué?, fue duro cuidar de mis padres, y aún duele. Es sólo cuestión de tiempo».

El tiempo *es* el factor clave. Hay un proceso de recuperación después de que tus padres han fallecido. Hay que procesar muchos pensamientos y sentimientos. Necesitas tiempo para llorar su pérdida, y la gente llora de distintas maneras. Algunas personas son muy reservadas, mientras que otras son más abiertas. Algunas personas piensan mucho sobre lo ocurrido mientras que otras piensan en el pasado sólo de vez en cuando. Sea cual sea tu estilo, necesitas pensar y sentir sobre lo que significa para ti la pérdida de tus padres. Algunas personas pueden tener estas conversaciones consigo mismos, pero la mayoría de la gente necesita que un amigo les escuche.

Culpabilidad

Con frecuencia las personas que cuidan de sus padres continúan sitiéndose culpables por lo que hicieron o dejaron de hacer por sus padres ancianos. Podrían haber llevado a su madre a casa en vez de ingresarla en un asilo. Podrían haber hecho más cuando su padre estaba en el hospital. Estas ideas tienen el valor añadido de permitir a la gente evitar los sentimientos de intensa indefensión que la mayoría de las personas teme más que a la culpabilidad. En realidad los sentimientos de culpa nos hacen creer que tenemos algún control sobre la situación. La culpa es la alternativa a la ansiedad que produce el sentirse sin ningún control.

Con frecuencia, las experiencias infantiles con los padres sientan la base para posteriores sentimientos de culpa y mala conciencia. En muchas culturas los padres controlan a los hijos haciéndoles sentir culpables. Algunos de nosotros incluso nos sentimos culpables porque nos aprovechamos de nuestros padres y no recibimos castigo por ello.

Algunas personas se sienten más culpables que otras. Es normal pensar sobre lo que hiciste por tus padres y cuestionarte tu conducta, pero un sentido de culpa excesivo puede hacerte pensar que eras responsable de todo. Si llevas la carga de una culpabilidad excesiva, este proceso de análisis puede volverse bastante destructivo. El objetivo es perdonarte a ti mismo. Si piensas que lo que has hecho es imperdonable, habla sobre ello con tus amigos, tu familia o con otras personas que también hayan cuidado de sus padres. Si otro te comprende y te perdona ¿por qué no aprender a hacer lo mismo?

El dolor y la ira prolongados

El duelo por la muerte de los padres es al mismo tiempo una experiencia privada y compartida. Parte de lo que lo hace tan doloroso es que ahora te sientes solo. Compartir la experiencia con otros es la forma de superar su pérdida. En ocasiones el duelo y la ira son prolongados, y aún más cuando el individuo ha soportado otras pérdidas, que le han hecho más vulnerable.

Existen varias formas de afrontar el dolor. Lo más importante no es sólo hablar sobre tu dolor con la gente que amas, sino también sobre tus pérdidas anteriores en la vida. Date permiso para estar afligido. Acepta que te dolerá durante un tiempo y que estarás deprimido, pero que esto es normal. Encuentra la forma de manejar tu dolor con otros miembros de la familia y con tus amigos. Haz planes para una misa de recuerdo o para una fiesta en honor de tus padres. Una forma eficaz de consolarte con el apoyo de los que te aman es encontrar y representar un ritual como encender una vela o rezar una oración diaria para recordar a tus padres. Los rituales no resolverán todas tus emociones y tu dolor. No obstante, son una experiencia importante en el proceso de recuperación y sirven para que tu camino en el futuro sea un poco más consciente sobre el pasado y el presente.

Bibliografía

Aun cuando hay muchos libros excelentes sobre el cuidado de los padres, el envejecimiento, la salud y otras áreas relacionadas, los que figuran a continuación son los más útiles para los *cuidadores de familia*.

Abrams, William B. y Robert Berkow (comps.), *The Merck Manual of Geriatrics*, Rahway, N. J., Merck, Sharp & Dohme Research Laboratories, 1990.

Adizes, Ichak, *Mastering Change*, Santa Mónica, Calif., Adizes Institute, 1992.

Akeret, Robert U., con Daniel Klein, *Family Tales, Family Wisdom: How to Gather the Stories of a Life Time and Share Them with Your Family*, Nueva York, William Morrow, 1991.

American Bar Association, *Personal and Estate Planning for the Elderly*, Chicago, ABA, 1989.

—, Commision on Legal Problems of the Elderly, *Law and Aging Resource Guide*, Washington, D.C., ABA, 1987.

Anthony, Carolyn (comp.), *Family Portraits, Remembrances by Twenty Distinguished Writers*, Nueva York, Penguin, 1989.

Aspen Reference Group, *Geriatric Patient Education Resource Manual*, Frederick, Md., Aspen, 1982.

Bass, E. y L. Davis, *The Courage to Heal*, Nueva York, Harper & Row, 1988.

Bateson, Mary Catherine, *Composing a Life*, Nueva York, Plume, 1992.

Beck, Aaron T. y Gary Emery, con Ruth C. Greenberg, *Anxiety Disorders and Phobias*, Nueva York, Basic Books, 1983.

Beckett, Samuel, *Stirrings Still*, Nueva York, North Star Line, 1991.

Beers, Mark H. y Stephen K. Urice, *Aging in Good Health: A Complete Essential Medical Guide for Older Men and Women and Their Families*, Nueva York, Pocket Books, 1992.

Borltzer, Etan, *What Is God?*, Toronto, Firefly Books, 1989.

Brodsky, Berverly, *The Story of Job*, Nueva York, George Braziller, 1986.

Broyard, Anatole, *Intoxicated by My Illness*, Nueva York, Clarkson Potter, 1992.

Capote, Truman, *I Remember Grandpa*, Atlanta, Peachtree Publications, 1985.

Carlin, Vivian F. y Ruth Mansberg, *Where Can Mom Live? A Family Guide to Living Arrangements for Elderly Patients*, Lexington, Mass., Lexington Books, 1987.

Caterall, Don R., *Back From the Brink: A Family Guide to Overcoming Traumatic Stress*, Nueva York, Quantum, 1992.

Cherlin, Andrew J. y Frank F. Furstenberg, *New American Grandparent: A Place in the Family or Life Apart*, Nueva York, Basic Books, 1986.

Cohen, Donna y Carl Eisdorfer, *The Loss of Self: A Family Resource for Alzheimer's Disease*, Nueva York, W. W. Norton, 1986.

Colgrove, M., H. Bloonfield y P. McWilliams, *How to Survive the Loss of a Love*, Nueva York, Bantam, 1976.

Conolly, Matthew y Michael Orme, *The Patient's Desk Reference: Thousands of Medications Indexed by Illness*.

Consumer Reports, *Communities for the Elderly*, febrero de 1990, págs. 123-131.

Coughlan, Patricia Brown, *Facing Alzheimer's: Family Caregivers Speak*, Nueva York, Ballantine, 1993.

Crichton, Jen, *Age Care Sourcebook: A Resource Guide for the Aging and Their Families*, Nueva York, Simon & Schuster, 1987.

Davis, M., E. R. Eshelmon y M. McKay, *The Relaxation and Stress Reduction Workbook*, Oakland, Calif., New Harbinger, 1985.

Dubler, Nancy y David Nimmons, *Ethics on Call: A Medical Ethicist Shows How to Take Charge of Life-and-Death Choices*, Nueva York, Harmony Books, 1982.

Edinberg, Mark A., *Talking with Your Aging Parents*, Boston, Shambhala, 1987.

Epstein, H., *Children of the Holocaust: Conversations with Sons and Daughters of Survivors*, Nueva York, G. P. Putnam's Sons, 1979.

Finn, Susan y Linda Stern Kass, *The Real Life Nutrition Book*, Nueva York, Penguin, 1992.

Flynn, Eileen P., *Your Living Will: Why, When and How to Write One*, Nueva York, Citadel Press, 1992.

Fowler, Margaret y Priscilla McCutcheon, *Songs of Experience: An Anthology of Literature on Growing Old*, Nueva York, Ballantine, 1991.

Gellman, Marc y Thomas Hartman, *Where Does God Live? Questions and Answers for Parents and Children*, Nueva York, Triumph Books, 1991.

Gil, E., *Outgrowing the Pain: A Book For and About Adults Abused as Children*, San Francisco, Launch Press, 1983.

Golant, Stephen M., *Housing America's Elderly: Many Possibilities/ Few Choices*, Newbury Park, Calif., Sage Publications, 1992.

Golden, Susan, *Nursing a Loved One at Home: A Caregiver's Guide*, Filadelfia, Running Press, 1988.

Goldman, Connie y Philip Berman, *The Ageless Spirit*, Nueva York, Ballantine, 1992.

Goldsmith, Seth B., *Choosing a Nursing Home*, Nueva York, Prentice-Hall, 1990.

Gorman, Jack M., *The Essential Guide to Psychiatric Drugs*, Nueva York, St. Martin's Press, 1990.

Gruetzner, Howard, *Alzheimer's: A Caregiver's Guide and Source book*, Nueva York, John Wiley & Sons, 1992.

Hall, Lindsey y Leigh Cohn, *Self Esteem: Tools for Recovery*, Carlsbad, Calif., Gurze, 1990.

Halpern, James, *Helping Your Aging Parents: A Practical Guide for Adult Children*, Nueva York, McGraw-Hill, 1987.

Hassler, Jon, *Simon's Night, A Novel,* Nueva York, Ballantine, 1979.

Henig, Robin Marantz y los directores de *Esquire, How a Woman Ages*, Nueva York, Ballantine, 1985.

Hepburn, Katharine, *Me: Stories of My Life*, Nueva York, Alfred A. Knopf, 1991.

Hewett, J. H., *After Suicide*, Louisville, Ky., Westminster John Knox, 1980.

Heynen, Jim, con fotografías tomadas por Paul Boyer, *One Hundred Over 100*, Golden Co., Fulcrum, 1990.

Hughes, Marylou, *The Nursing Home Experience: A Family Guide to Making It Better*, Nueva York, Continuum, 1992.

Jarvik, Lissy F. y Gary Small, *Parent Care*, Nueva York, Bantam, 1990.

Johnson, V., *I'll Quit Tomorrow*, Nueva York, Harper & Row, 1980.

Kastenbaum, Robert, *The Psychology of Death*, Nueva York, Springer, 1992.

Keyes, Ralph, *Sons on Fathers: A Book of Men's Writings*, Nueva York, HarperCollins, 1992.

Kievman, Beverly, con Susie Blackman, *For Better or For Worse: A Couple's Guide to Dealing with Chronic Illness*, Chicago, Contemporary Books, 1989.

Klagsbrun, Francine, *Mixed Feeling: Love, Hate, Rivalry, and Reconciliation Among Brothers and Sisters*, Nueva York, Bantam, 1992.

Klein, Donald y Paul Wender, *Understanding Depression*, Nueva York, Oxford, 1993.

Lerner, H. G., *The Dance of Anger*, Nueva York, Harper & Row, 1985.

Levy, Michael T., *Parenting Mom and Dad*, Nueva York, Prentice-Hall, 1991.

Lustbader, Wendy, *Counting on Kindness*, Nueva York, The Free Press, 1991.

Mace, Nancy y Peter Rabins, *The 36-Hour Day*, Baltimore, The Johns Hopkins University Press, 1981.

Malcolm, Andrew, *Someday: The Story of a Mother and Her Son*, Nueva York, Alfred A. Knopf, 1991.

Manttsky, M. C., *Coping Better...Anytime, Anywhere*, Nueva York, Simon & Schuster, 1986.

— y A. Hendricks, *You and Your Emotions*, Lexington, Ky., Rational Self-Help Aids.

Mathews, Joseph, *Elder Care: A Consumer's Guide to Choosing and Financing Long Term Care*, Berkeley, Calif., Nolo Press, 1991.

— *Social Security, Medicine, and Pensions*, Berkeley, Calif., Nolo Press, 1992.

McIlwain, Harris H., Cori F. Steinmeyer, Debra Fulghum Bruce, R. E. Fulghum y Robert G. Bruce, *The 50 + Wellness Plan: A Complete*

Program for Maintaining Nutritional, Financial and Emotional Well-Being for Mature Adults, Nueva York, John Wiley & Sons, 1990.

McKay, Matthew, *When Anger Hurts*, Oakland, Calif., New Harbinger, 1989.

— y Patrick Fanning, *Self-Esteem*, Oakland, Calif., New Harbinger, 1990.

McLean, Helene, *Caring for Your Parents: A Sourcebook of Options and Solutions for Both Generations*, Nueva York, Doubleday, 1987.

Meskinsky, Joanne, *How to Choose a Nursing Home: A Guide to Quality Caring*, Nueva York, Avon, 1991.

Mongean, S. (comp.), *Directory of Nursing Homes* 3ª ed., Phoenix, Ariz., Oryx Press, 1988.

Myers, Jane E., *Adult Children and Aging Parents*, Dubuque, Ia., Kendall/Hunt, 1989.

Nassif, Janet Zhun, *Home Health Care Solution: A Complete Consumer Guide*, Nueva York, Harper & Row, 1985.

Neeld, Elizabeth Harper, *Seven Choices: Taking the Steps to New Life After Losing Someone You Love,* Nueva York, Potter, 1992.

On Lok Senior Health Services, *Directory of Adult Day Care in America*, Washington, D.C., Nutritional Council on Aging, 1987.

Peck, M. Scott, *A Bed by the Window*, Nueva York, Bantam, 1991.

Pesmen, Curtis y los directores de *Esquire, How a Man Ages*, Nueva York, Ballantine, 1984.

Poress, Paula Brown, Diana Laskin Siegel y el Midlife and Older Women Project, *Ouselves Growing Older*, Nueva York, Touchstone, 1989.

Regan, J. J., *Your Legal Rights in Later Life*, Glenview, Ill., Scott, Foresman & Co., 1989.

Richards, Marty, *Choosing a Nursing Home: A Guidebook for Families*, Seattle, University of Washington Press, 1985.

Rob, Caroline, *The Caregiver's Guide*, Boston, Houghton Mifflin, 1991.

Roe, Daphne, *Geriatric Nutrition*, 3ª ed., Englewood Cliffs, N. J.: Prentice-Hall, 1992.

—, *Handbook on Drug and Nutrient Interactions*, Chicago, American Dietetic Association, 1989.

Roth, Philip, *Patrimony*, Nueva York, Simon & Schuster, 1991.

Ryan, Regina Sara, *The Fine Art of Recuperation: A Guide to Surviving and Thriving After Illness, Accident, or Surgery*, Los Ángeles, Jeremy P. Tarcher, 1989.

Sankar, Andrea, *Dying at Home*, Baltimore, The Johns Hopkins University Press, 1991.

Sarton, May, *Endgame: A Journal of the Seventy-Ninth Year*, Nueva York, W. W. Norton, 1992.

Schreiber, LeAnne, *Midstream: The Story of a Mother's Death and a Daughter's Renewal*, Nueva York, Viking, 1990.

Seligman, Martin, *Learned Optimism*, Nueva York, Alfred A. Knopf, 1991.

Sennett, Dorothy (comp.), *Full Measure: Modern Short Stories on Aging*, St. Paul, Minn., Graywolf Press, 1988.

Shelley, Florence, *When Your Parents Grow Old*, 2ª ed., Nueva York, Harper & Row, 1988.

Silverstone, Barbara y Helen Kendel Hyman, *You and Your Aging Parent: A Family Guide to Emotional, Physical, and Financial Problems*, 3ª ed., Nueva York, Pantheon, 1989.

Smith, Anita, *The Best of Times*, Birmingham, Ala, The Best of Times Press, 1989.

Smith, Wesley J., *The Senior Citizens Handbook*, Los Ángeles, Price Stern Sloan, 1989.

Solomon, David H., Elyse Salend, Anna Nolan Rahman, Marie Bolduc Liston y David B. Reuben, *A Consumer's Guide to Aging*, Baltimore, The Johns Hopkins University Press, 1992.

Spiegelman, Art, *Maus I. A Survivor's Tale, My Father Bleeds History?*, Nueva York, Pantheon, 1986.

—, *Maus II. A Survivor's Tale and How My Troubles Began*, Nueva York, Pantheon, 1992.

Stare, Frederick y Virginia Aronson, *Food for Fitness After Fifty. A Menu For Good Health in Later Years*, Filadelfia, George F. Stickley, 1985.

Tannen, Deborah, *You Just Don't Understand. Women and Men in Conversation*, Nueva York, Ballantine, 1990.

Tavris, Carol, *Anger*, Nueva York, Touchstone, 1986.

Weeks, Dudley, *Eight Essential Steps to Conflict Resolution*, Los Ángeles, Jeremy P. Tarcher, 1991.

Weltman, Barbara, *Your Parent's Financial Search*, Nueva York, John Wiley & Sons, 1992.

Wharton, William, *Dad*, Nueva York, Avon Books, 1981.

Whitfield, C. L., *Healing the Child Within: Discovery and Recovery for Adult Children of Dysfunctional Families*, Deerfield Beach, Fla., Health Communications, 1987.

Wiesel, Elie, *The Forgotten. A Novel*, Nueva York, Alfred A. Knopf, 1992.

York, Pat, *Going Strong*, Nueva York, Arcadia, 1991.

Adriana Muños
562
466-18-34